SOPRINTENDENZA ARCHEOI

LE COLISÉE

ELECTA

L'HISTOIRE DE LA VALLÉE

A l'emplacement de la place actuelle, universellement connue comme la "Place du Colisée", nous devons imaginer qu'il existait dans l'antiquité une vallée bordée par les hauteurs des monts Fagutal, Oppius, Caelius, Palatin et Velia et traversée par un cours d'eau qui coulait en direction du Tibre en suivant grosso modo le tracé de l'actuelle via di San Gregorio.
Les fouilles et les découvertes réalisées à différentes époques et encore très récemment ont permis de reconstituer en grande partie l'aspect originel de la vallée, qui fut profondément modifié par Néron puis par les empereurs flaviens; c'est en effet à ces toutes dernières années que remontent les recherches effectuées dans la zone comprise entre l'Amphithéâtre et l'Arc de Constantin. Ces fouilles ont permis de mettre au jour les vestiges de la fontaine monumentale de l'époque flavienne, que les Anciens appelaient *Meta Sudans*, les restes des terrasses et du portique que Néron fit construire sur le pourtour d'un petit lac artificiel (l'Étang de Néron) et au centre de sa fastueuse résidence, ainsi que des vestiges d'époques plus lointaines, qui avaient rendu à juste titre célèbre ce lieu placé sur l'un des sommets de la mythique "ville carrée" fondée par Romulus sur le Palatin.
La vallée fut habitée dès la création de la ville (VIIe-VIe siècle avant J.-C.), comme le prouve le fait qu'elle participait au rituel festif des "Sept Collines" (dans l'antiquité *Septimontium*, qui désignait les noyaux de la communauté romaine qui s'était formée et développée autour de l'habitat originel du Palatin et de la Velia) et qu'elle était incluse dans la ville formée par les quatre régions administratives de l'avant-dernier roi de Rome, Servius Tullius.
En effet, dès la fin du VIe siècle, l'assèchement du cours d'eau qui longeait les pentes de la Velia permit de régulariser le réseau originel des rues, dont l'artère principale (aujourd'hui via di San Gregorio) reliait le Cirque Maximus aux axes de liaison tracés entre le Palatin, la Velia et l'Esquilin.
Le point d'intersection de ces rues, qui coïncide avec les futures limites de cinq régions administratives de l'époque d'Auguste, était un terrain sacré, situé à proximité de la maison natale d'Auguste – et peut-être sur le site des très anciennes Curies de Romulus –, religieusement préservé au fil des siècles et plusieurs fois restructuré jusqu'à Néron.
Les constructions d'Auguste puis de son successeur Claude, ainsi que les maisons qui couvraient la vallée, furent ensevelies sous les cendres du terrible incendie de 64 après J.-C. Après le sinistre, Néron édifia sur les lieux ses fastueuses et provocatrices constructions (palais palatin, atrium-vestibule de la Velia, résidence de l'Esquilin, nymphée du Caelius).

1. B. Bellotto (1720-1780), Caprice avec Colisée. Parme, Galerie Nationale

Les auteurs de l'Antiquité nous ont laissé des témoignages de la mégalomanie du prince, en décrivant avec minutie, et avec une ironie mal dissimulée, les proportions de la résidence impériale et le faste de sa décoration.
Il faudra attendre les empereurs flaviens pour que la vallée soit restituée à la ville de Rome et qu'elle prenne l'aspect qu'elle conserve encore en grande partie aujourd'hui avec les vestiges spectaculaires de l'Amphithéâtre de pierre et ceux de la *Meta Sudans*, certes moins voyants mais imprégnés eux aussi de la mémoire du passé.

«Aux lieux où le colosse radié contemple les astres de si près, et où s'élèvent, au milieu de la voie, de hauts échafaudages, rayonnait l'odieux palais d'un farouche despote, et déjà une demeure unique se dressait sur l'emplacement de la ville tout entière; où l'amphithéâtre érige à tous les yeux son auguste masse, c'était l'étang de Néron; où nous admirons les thermes, si promptement achevés par la générosité de César, une fastueuse campagne avait dépouillé les pauvres gens de leurs foyers; là où le portique de Claude déploie ses vastes ombrages, finissaient les derniers bâtiments du palais impérial. Rome a été rendue à elle-même et, sous ton gouvernement, César, le peuple fait ses délices de ce qui ne charmait jadis que son maître»
(Martial, *Spectacles*, 2; trad. "Les Belles Lettres").

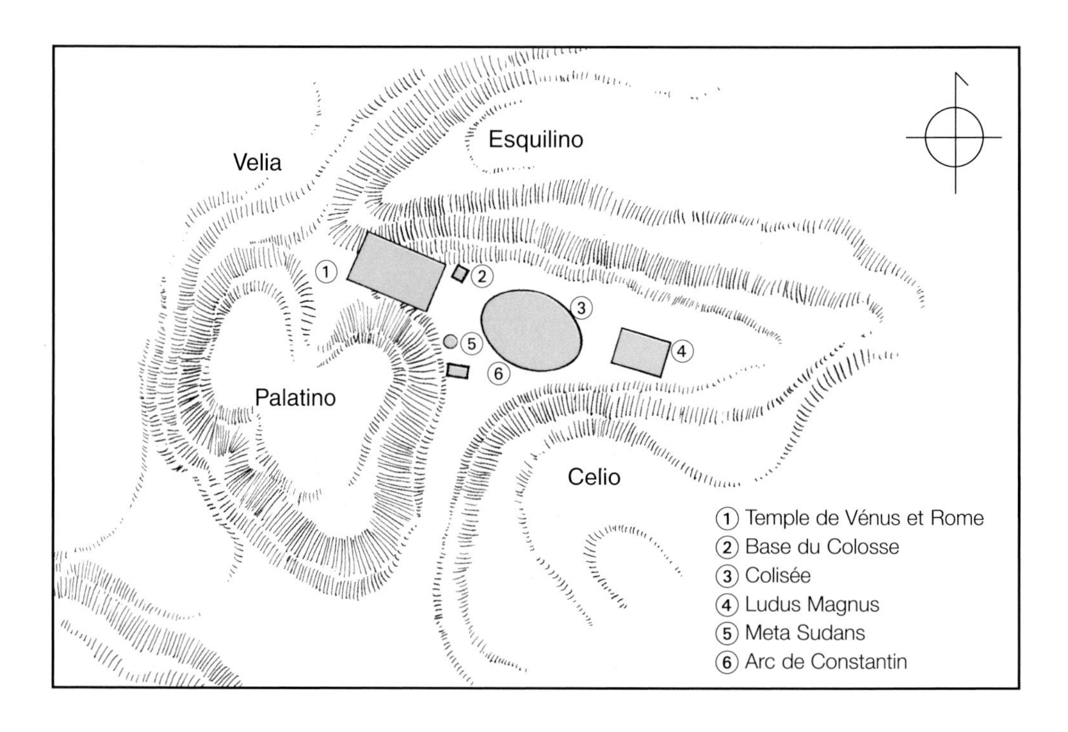

2. Vue de la vallée au centre du système des collines

3. Amphithéâtre Flavien, extérieur. Vue des ordres architecturaux

Les travaux dans la vallée de Néron aux Flaviens

Néron (54-68 après J.-C.).
En 64 après J.-C. Néron commence les travaux de construction de la Maison Dorée, pour remplacer et agrandir la *Domus Transitoria* du Palatin, étendant les limites de son palais jusqu'au Caelius et à l'Oppius. Il transforme en nymphée le Temple de Claude Divinisé et projette un lac artificiel dans la vallée, entouré de portiques. Les travaux sont interrompus à sa mort.

Vespasien (69-79 après J.-C.).
Il conçoit et commence la construction de l'Amphithéâtre et d'une fontaine monumentale, la *Meta Sudans*, à l'endroit où s'ouvraient les portiques qui entouraient l'Étang de Néron.

Titus (79-81 après J.-C.).
Il termine les bâtiments commencés par son père et inaugure l'Amphithéâtre, relié par un portique de raccord aux thermes publics (les Thermes de Titus) qui s'élèvent à l'emplacement de la Maison Dorée.

Domitien (81-96 après J.-C.).
Il termine les structures souterraines de l'Amphithéâtre et projette la construction des casernes pour les gladiateurs (les *Ludi*) sur le versant sud de la vallée.

LE COLISÉE

«Que la barbare Memphis ne vante plus le prodige de ses pyramides; que l'industrieuse Assyrie ne s'enorgueillisse plus de sa Babylone; que le temple de Diane ne fasse plus la gloire des Ioniens efféminés et que l'autel fait de cornes multiples laisse tomber dans l'oubli le nom de Délos; que les Cariens, outrant leurs louanges, ne portent plus aux nues leur Mausolée en équilibre dans le vide des airs. Toute oeuvre humaine le cède à l'amphithéâtre de César: la renommée n'en célébrera plus qu'une à la place de toutes les autres»
(Martial, *Spectacles*, 1; trad. "Les Belles Lettres").

L'Amphithéâtre Flavien, communément appelé Colisée, est un des monuments les mieux enracinés dans la mémoire historique de la ville, et pas uniquement en raison de son imposante masse architecturale qui domine le paysage de la Rome antique. Il a vu passer au cours de son histoire séculaire un flux ininterrompu de visiteurs, qui ont continué à se presser dans son enceinte même après la fin des combats de gladiateurs pour y chercher un refuge et un logis, pour y pratiquer des rituels religieux ou encore pour le dépouiller progressivement de ses matériaux. C'est cette longue tradition qui en fait un lieu vivant et enraciné dans la conscience collective, et naturellement dans l'imaginaire culturel. Sa construction débuta sous Vespasien et fut achevée par Titus en 80 après J.-C. Son inauguration solennelle ne dura pas moins de cent journées consécutives, dont les chroniques de l'antiquité conservent la mémoire. Le Colisée, ce gigantesque monument érigé pour les combats de gladiateurs, qui étaient extrêmement populaires dans le monde romain et qui servaient à célébrer la munificence des empereurs qui l'avaient bâti, représente sans nul doute le projet politique le plus ambitieux et le plus démagogique de la famille des Flaviens. Grâce à lui, Rome est pour la première fois dotée d'une arène à la hauteur de la réputation de ses jeux, qui se déroulaient auparavant dans le bâtiment provisoire en bois que Néron avait fait construire au Champ de Mars, après que l'incendie de 64 après J.-C. eut détruit l'amphithéâtre de Titus Statilius Taurus, le premier dont il soit fait mention dans la capitale. Encore avant, à l'époque républicaine, les jeux se déroulaient au Forum Romain et au Forum Boarium, dotés pour la circostance de structures mobiles. Le Colisée fut plusieurs fois restauré pendant l'Empire à la suite d'incendies ou de tremblements de terre. On connaît par des documents les travaux d'Antonin le Pieux, d'Elagabal et d'Alexandre Sévère: ces derniers furent effectués à la suite d'un terrible incendie en 217 après J.-C.; d'autres travaux encore, commémorés par des épigraphes, furent réalisés à la suite du tremblement de terre de 443 après J.-C. Aucun spectacle n'est mentionné au-delà de 523 après J.-C.: cette date marque le début de la dégradation et de la ruine progressives du monument, qui fut rapidement transformé en carrière de matériaux de construction.

4. Vue de l'Amphithéâtre Flavien depuis le Temple de Vénus et Rome

5. Tête de l'empereur Vespasien, provenant d'Ostie. Rome, Musée National Romain

Le Colosse de Néron

Le nom *Amphitheatrum-Colyseus* – qui apparaît pour la première fois au XIe siècle comme dénomination de l'édifice appelé auparavant *Amphitheatrum Caesareum* et qui désigna ensuite la vallée entière dénommée *regio Colisei* –, dérive de la statue de bronze colossale de Néron située tout à côté. Cette statue, qui fut commandée au sculpteur Zenodoros et qui s'inspirait du célèbre colosse de Rhodes (oeuvre de Charès de Lindos datant du début du IIIe siècle avant J.-C.), représente l'empereur en pied et elle servait d'ornement au vestibule de la Maison Dorée, à l'emplacement de l'actuel Temple de Vénus et Rome. Ses dimensions gigantesques – environ 35 mètres de hauteur – qu'indiquent les proportions de la base et un texte de Pline l'Ancien, en faisait la plus grande statue de bronze jamais réalisée dans le monde antique. De sorte qu'Hadrien dut utiliser un chariot tiré par vingt-quatre éléphants pour la déplacer de son emplacement originel lorsqu'il fit construire le Temple de Vénus et Rome.
Vespasien la transforma en simulacre rayonnant du Soleil mais Commode préféra la caractériser avec les attributs d'Hercule et avec les traits de sa physionomie: à sa mort, le Colosse redevint l'image d'Hélios et resta tel à l'époque de Sévère, comme le montrent les monnaies de l'époque qui représentent le dieu avec la main droite appuyée sur un timon et avec un globe dans la main gauche. D'abord symbole d'immortalité, puis de la Ville Éternelle, il continua d'être objet de culte à l'époque chrétienne.
La base de la statue, dont il ne reste désormais que quelques vestiges, fut démolie en 1933 lors des travaux réalisés pour l'ouverture de la via dell'Impero et de la via dei Trionfi.

«Dans son vestibule on avait pu dresser une statue colossale de Néron, haute de cent-vingt pieds; la demeure était si vaste qu'elle renfermait des portiques à trois rangs de colonnes, longs de mille pas, une pièce d'eau semblable à une mer, entourée de maisons formant comme des villes, et par surcroît une étendue de campagne, où se voyaient à la fois des cultures, des vignobles, des pâturages et des forêts, contenant une multitude d'animaux domestiques et sauvages de tout genre» (Suétone, *Néron*, 31, 1; trad. "Les Belles Lettres").

6. La Meta Sudans. L'Arc de Titus, le Temple de Vénus et Rome et le Colosse dans une reconstruction de E. Coquart (1863)

7. Amphithéâtre Flavien, maquette. Rome, Musée de la Civilisation Romaine

8. Amphithéâtre Flavien, vue de l'enceinte extérieure

L'extérieur

Pour mieux observer l'édifice, il convient de se déplacer vers le côté nord (donnant sur la via dei Fori Imperiali), le seul où l'enceinte extérieure soit encore entièrement intacte. Celle-ci s'élève sur quatre étages d'une hauteur totale d'environ 49 mètres, réalisés en *opus quadratum* de travertin.

Les trois premiers étages sont formés de quatre-vingts arcades encadrées par des semi-colonnes à chapiteaux toscans au premier étage, ioniens au deuxième et corinthiens au troisième. Des pilastres corinthiens divisent le quatrième étage en quatre-vingts panneaux, percés de quarante fenêtres. Comme le montre un texte tardif et comme le confirment des monnaies de l'époque de Titus, la décoration extérieure du dernier étage devait être constituée également de boucliers *(clipea)* accrochés à intervalles réguliers entre les fenêtres. Chaque panneau était pourvu de trois corbeaux à l'emplacement de trous percés dans la corniche, destinés à soutenir les poutres de bois sur lesquelles était fixé le *velarium*. Le *velarium* était une grande toile, peut-être divisée en croissants, qui protégeait le public du soleil et de la pluie et qui était

manoeuvrée par une équipe spéciale de marins de la flotte de Misène, en Campanie. Les entrées étaient indiquées par des numéros progressifs gravés au-dessus des arcades (ceux du côté nord sont encore bien visibles) correspondant au numéro marqué sur chaque billet. Seules les entrées principales placées aux extrémités des deux axes étaient sans numérotation car elles étaient réservées à un public choisi. On peut encore voir dans la seule de ces entrées encore conservée – sur le côté nord-est – les bases de deux colonnes d'un petit porche, qui était surmonté d'un quadrige dans l'antiquité. L'entrée située du côté opposé, destinée comme la première aux autorités politiques, devait être identique. La décoration à figures en stuc des voûtes des arcades – désormais très endommagée et que seuls des dessins du XVIe siècle permettent de reconstituer – devait aussi souligner son importance et son prestige. Les entrées réservées aux gladiateurs se trouvaient aux extrémités du grand axe. Une zone laissée libre de toute construction s'étendait tout autour du monument: elle était recouverte de dalles en travertin et indiquée par de gros cippes de pierre, dont cinq sont encore debout du

9. Amphithéâtre Flavien, intérieur.
Stucs de l'entrée nord, gravure du comte de Crozat (XVIIIe siècle), d'après un dessin de Giovanni da Udine (1487-1564)

10. Monnaie de l'époque de Titus, avec représentation de l'Amphithéâtre Flavien et de la Meta Sudans. Rome, Musée national Romain

Les techniques de construction

L'Amphithéâtre Flavien a une hauteur totale de 52 m; le grand axe mesure 188 m et le petit axe 156 m. L'arène occupe une surface totale de 3357 mètres carrés. La *cavea*, y compris les places debout dans les secteurs les plus élevés, pouvait accueillir 73.000 personnes. La rapidité relative de la construction alliée au caractère monumental de sa structure en font un ouvrage d'une grande habileté technique. Les techniques de

côté nord. Ce terrain était entouré d'un portique à deux étages dont il ne reste que quelques vestiges de l'autre côté de la rue moderne, sur les pentes du mont Oppius.

L'intérieur

L'entrée actuelle s'ouvre du côté sud, à une des extrémités du petit axe.

L'état de conservation de la *cavea* ainsi que la visibilité des souterrains de l'arène, à l'origine couverts d'un plancher en bois, ne contribuent certes pas à rendre une image réaliste et cohérente de l'édifice, mais en revanche ils aident à comprendre le système des couloirs et des passages intérieurs. Les quatre étages extérieurs correspondent, à l'intérieur, aux différents secteurs des gradins. Les deux entrées monumentales sur le petit axe – réservées, comme nous l'avons dit, aux autorités politiques – menaient à deux tribunes centrales dont il ne reste aucun vestige, tandis qu'une série d'autres parcours obligés, qui se répétaient de façon symétrique et systématique dans chaque secteur de la *cavea*, permettaient au reste du public d'accéder aux places qui lui étaient assignées.

Dans le premier secteur, constitué de plates-formes sur lesquelles étaient disposés les sièges *(subsellia)* s'élevait le podium réservé aux sénateurs, auquel une courte rampe permettait d'accéder directement depuis des entrées situées dans le quatrième couloir circulaire.

La proximité de l'arène permettait de jouir d'une meilleure vue sur les spectacles mais elle augmenta les risques pour les spectateurs illustres jusqu'à ce que l'on construisît une haute et solide barrière au bord du podium. Dans les années 1930, on a reconstruit une partie du secteur des sénateurs, encore bien visible à proximité de l'entrée sud, mais en lui donnant la forme des gradins ordinaires. Entre le mur du podium et le bord de l'arène se trouvait une galerie de service couverte, qui a désormais presque entièrement disparue et dont on peut voir quelques vestiges dans le mur du fond, où s'ouvraient vingt-quatre niches, recouvertes d'*opus signinum* (mélange de chaux, eau, sable et poudre de tuileaux) et pavées de dalles de travertin. Le système complexe de collectage et de canalisation des eaux porte à croire que ces niches servaient de latrines. Quoi qu'il en soit, le parcours couvert était destiné au personnel de service chargé des jeux; on pouvait y accéder par des entrées placées dans le quatrième couloir circulaire de la *cavea* et fermées au public par des portes dont il reste les trous des gonds sur les seuils de marbre. Sur le côté de l'entrée actuelle et à

construction employées furent l'*opus quadratum* en blocs de travertin (pour tous les secteurs de la fondation et la structure portante de la façade) et la brique (pour les murs radiaux à partir du deuxième étage). La coexistence de techniques et de

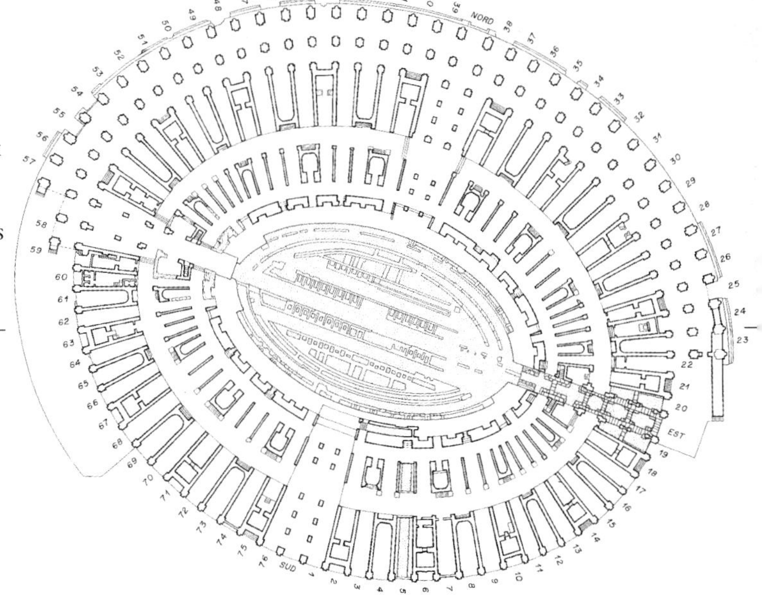

zone la plus élevée.
Enfin, le dernier secteur, correspondant au quatrième étage extérieur, était formé de structures en bois *(maenianum summum in ligneis)* et couronné par un portique de quatre-vingts colonnes de marbre (des portions de colonnes et plusieurs chapiteaux remontant en partie aux restaurations de l'époque de Sévère sont actuellement déposés au rez-de-chaussée).
Le système complexe de rampes et de passages permettait au public d'entrer

l'emplacement de la galerie de service (qui a été très restaurée au siècle dernier), les structures que l'on peut voir derrière une grille appartiennent en revanche à un passage souterrain, cité dans les sources historiques comme le lieu où l'on tenta d'assassiner Commode. Il conserve des fragments du pavage à tesselles blanches et noires, du revêtement en marbre, du plâtre peint ainsi que de la décoration en stuc des voûtes.
On accédait au deuxième secteur de la *cavea*, ou *maenianum primum*, pourvu de huit rangées de gradins en marbre, par des rampes placées dans le troisième couloir circulaire; d'autres rampes, beaucoup plus raides et placées symétriquement aux premières, conduisaient au troisième secteur, ou *maenianum secundum*, plus tard divisé en deux parties, *imum* et *summum*, qui était la

et de sortir facilement, mais il garantissait surtout le respect de la distribution des places, rigidement préétablie et organisée par classes sociales.

matériaux différents (les murs radiaux comprennent aussi des blocs de tuf) allégeait les structures et augmentait leur élasticité. Les voûtes étaient construites en ciment. Les revêtements des murs étaient constitués de plâtre peint (blanc et rouge).
Les pavages conservés sont en blocs de travertin, ou plus rarement de marbre et, aux étages supérieurs, en petites briques disposées en arêtes de poisson *(opus spicatum)*. La *cavea* était intégralement recouverte de marbre.

page précédente:

11. Amphithéâtre Flavien, planimétrie du rez-de-chaussée

12. Amphithéâtre Flavien, maquette

13. Amphithéâtre Flavien, intérieur. Vue aérienne de l'arène

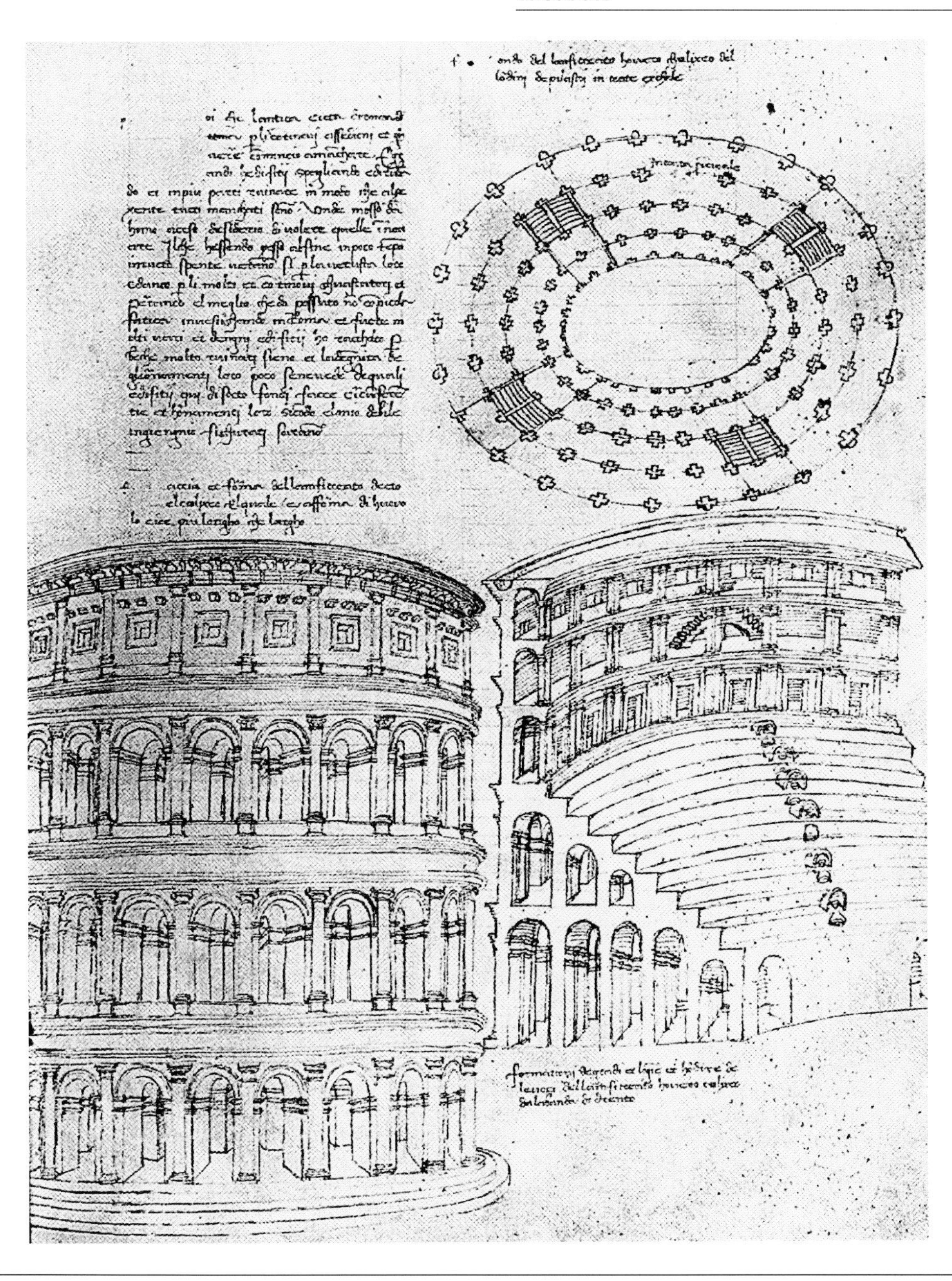

14. Francesco di Giorgio Martini (1439-1502), Colisée. Turin, Bibliothèque Royale

La distribution des places

L'entrée aux jeux, en tant que spectacles publics, était libre. Mais chaque citoyen possédait une plaque sur laquelle était rapportée la place qui lui était assignée et le parcours à suivre pour y accéder: le numéro de l'arcade d'entrée, du *maenianum*, du «coin» (c'est-à-dire de la partie de la *cavea*, qui était divisée en quartiers), et du gradin. La place correspondait à des secteurs précis de la *cavea* destinés à des catégories sociales bien définies. Nous savons qu'Auguste réglementa avec soin la séparation des différentes classes dans tous les spectacles publics. La première rangée du podium était réservée aux sénateurs, le secteur placé immédiatement au-dessus, c'est-à-dire la première rangée du premier *maenianum*, était celui des cavaliers. Le respect de la séparation était garanti par des inscriptions gravées sur les gradins, qui indiquaient les magistratures, les classes sacerdotales, les catégories sociales où les groupes ethniques qui devaient s'y asseoir. Une des épigraphes qui nous sont parvenues désigne la place réservée à des ambassadeurs et diplomates étrangers (désignés comme *hospites*), une autre désigne l'origine ethnique *Gaditanorum* (de Cadix). D'autres fragments encore indiquent des places spéciales pour les jeunes *praetextati* (les jeunes gens qui n'avaient pas encore atteint l'âge viril et donc les devoirs civils, qui portaient la toge *praetexta*), ou pour les enseignants d'école *paedagogi puerorum*. Un important texte épigraphe de 80 après J.-C. décrète en outre quelles sont les places réservées dans la *cavea* aux membres du collège sacerdotal des *Arvali*, repartis dans les différents secteurs (à partir du podium jusqu'aux gradins en bois) selon le grade qu'ils occupaient dans la hiérarchie du collège. Les sénateurs avaient au contraire le privilège d'occuper des places nominales, sur lesquelles étaient inscrites in extenso le nom de leur famille, comme le montrent des blocs de marbre gravés, actuellement disposés autour de l'arène, mais disposés à l'origine au bord du podium comme parapet. On peut voir au verso la dédicace pour les travaux de restauration de la *cavea* effectués par le préfet de Rome Flavius Paulus au milieu du Ve siècle. Le recto porte les épigraphes avec les noms de plusieurs sénateurs gravés à l'emplacement de leurs places au premier rang.

Dans d'autres cas, les noms étaient gravés sur le bord supérieur des gradins de marbre, et ils étaient grattés et remplacés au fur et à mesure au fil des ans: ceux qui sont encore lisibles appartiennent à la classe des sénateurs de la fin du Ve siècle, la dernière qui assista aux spectacles.

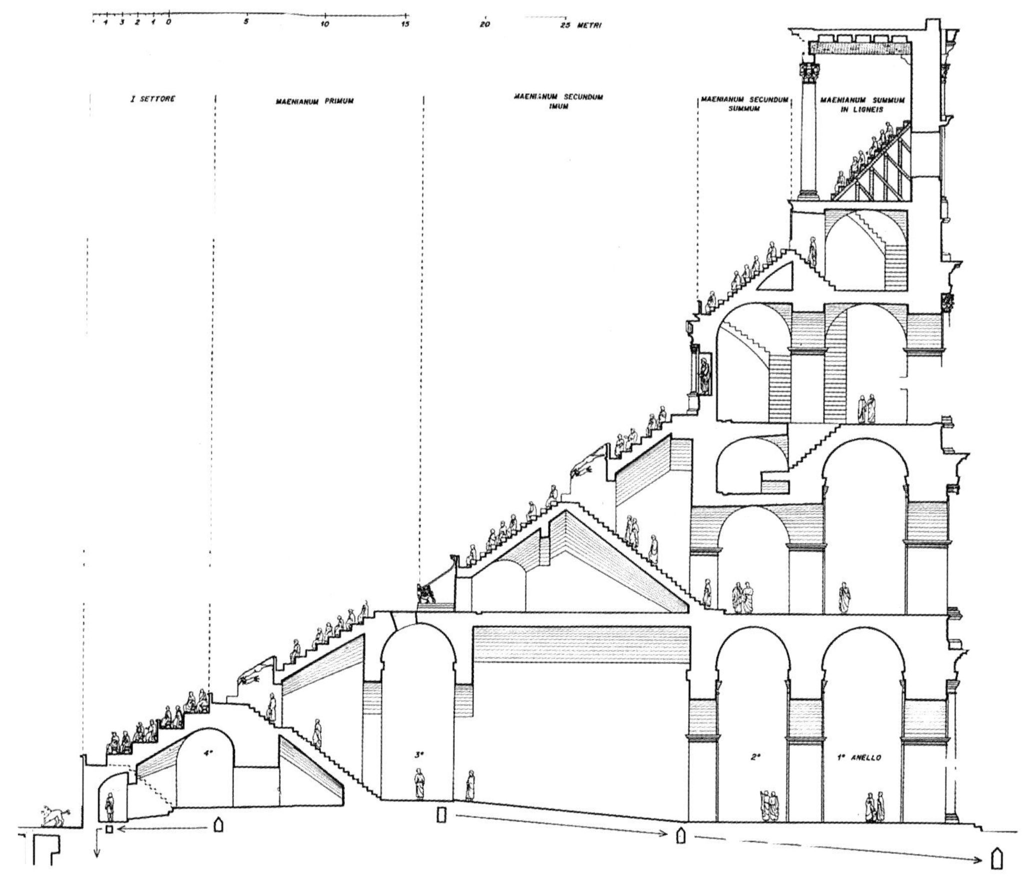

«Il régnait dans les spectacles la confusion et le sans-gêne le plus complet: Auguste y introduisit l'ordre et la discipline, car il s'était ému de l'affront subi par un sénateur, qui, à Pouzzoles, durant des jeux, tout à fait courus, n'avait été accueilli par personne, au milieu d'une nombreuse assistance. Il fit donc décréter par le Sénat, que, pour tout spectacle public donné en quelque lieu que ce fût, le premier rang de banquettes devait être réservé aux sénateurs, et défendit qu'à Rome les ambassadeurs des nations libres ou alliées prissent place dans l'orchestre, parce qu'il s'était aperçu que leurs délégations comprenaient même des affranchis. Il sépara les soldats du peuple. Il assigna aux plébéiens mariés des gradins spéciaux, aux jeunes gens vêtus de la prétexte, un secteur particulier, et celui d'à côté à leurs précepteurs; il interdit les places du milieu à tout spectateur vêtu de sombre. Quant aux femmes, il ne leur permit de se placer, même pour les combats de gladiateurs, qu'un usage établi les autorisait à suivre pêle-mêle avec les hommes, que sur les gradins supérieurs et toutes seules. Les Vestales eurent au théâtre leur loge à part, en face du tribunal du préteur. Mais pour les luttes d'athlètes, il exclut si rigoureusement toute personne du sexe féminin, que, durant les jeux pontificaux, le peuple ayant réclamé un couple de lutteurs, il remit sa présentation à la séance matinale du lendemain et fit proclamer, qu'il ne voulait pas voir les femmes venir au théâtre avant la cinquième heure» (Suétone, *Auguste*, 44, 3-4; trad. "Les Belles Lettres").

15. Amphithéâtre Flavien, section reconstruite avec la subdivision de la cavea

16. Amphithéâtre Flavien, intérieur. Secteur oriental du podium des sénateurs dans la reconstruction des années trente

17. Amphithéâtre Flavien, intérieur. La galerie de service et l'inscription relative à la restauration de la cavea du milieu du Ve siècle après J.-C. Sur le côté interieur, on peut lire le nom des sénateurs

L'arène et les souterrains

On accédait à l'arène par les deux entrées situées aux extrémités du plus grand axe, respectivement dénommées *Porta Triumphalis* et *Porta Libitinaria*: la première, située à l'ouest, était empruntée par les gladiateurs pour pénétrer dans l'arène; la seconde, à l'est, était celle par laquelle on emmenait les corps des gladiateurs tombés au combat (Vénus-Libitina était en effet à Rome la déesse protectrice des sépulcres, vénérée dans un bois sacré de la nécropole de l'Esquilin). Par de petits escaliers raides situés aux deux entrées, on accédait facilement aux souterrains où étaient enfermés les animaux et où était remisé l'équipement indispensable au déroulement des jeux.
Les structures souterraines, terminées par Domitien, étaient divisées en quatre quartiers résultant de l'intersection des deux couloirs correspondant aux axes majeur et mineur.
Ces couloirs donnaient sur une série de parcours parallèles, rectilignes ou curvilignes, et sur des salles.
En outre, il y avait le long du mur périmétral des pièces de service, voûtées à l'origine puis divisées en petites cellules de deux étages. Pour monter jusqu'à la surface les appareils scéniques lourds et compliqués, on se servait d'un système de contrepoids et de plans inclinés, comme le montre l'existence de trous dans le dallage des couloirs, utilisés dans l'Antiquité pour l'installation de treuils pour le logement des contrepoids. Le couloir central se poursuivait sous l'entrée orientale et reliait les souterrains du Colisée au *Ludus Magnus*, la caserne des gladiateurs voisine. Les structures aujourd'hui visibles sont les vestiges des nombreux travaux de restauration qui se sont succédé au fil des siècles, surtout à la suite des tremblements de terre et des violents incendies qui détruisirent plusieurs fois le plancher en bois de l'arène et une grande partie des installations mobiles souterrainnes. Et cela jusqu'à leur ensevellissement définitif, qui marqua la fin des combats de gladiateurs et le début de l'abandon de l'édifice.

18. Amphithéâtre Flavien, intérieur. Vue de l'arène

19. Andriuolo, tombe 58. Plaque nord. Détail avec scène de duel. Paestum, Musée Archéologique National

Les gladiateurs

La forte professionnalisation militaire qu'exigeait la gladiature en avait fait en réalité une armée potentielle, divisée en plusieurs équipes, ou *familiae*, caractérisées par le type d'armes adoptées et par leurs tactiques de combat.
Les sources épigraphiques et littéraires nous ont laissé la description de plusieurs catégories de gladiateurs, parfois bien reconnaissables dans les représentations: le Samnite, avec son bouclier oblong, sa courte épée et son casque

Les jeux
Les spectacles qui avaient lieu dans le Colisée étaient essentiellement de deux types: les combats de gladiateurs (en latin *munera*) et les simulations de chasses aux animaux féroces (les *venationes*).
La question de leurs origines, en particulier de celle des *munera*, est très débattue, même parmi les auteurs de l'Antiquité. Certains d'entre eux mettent l'accent sur les éléments d'origine étrusque et citent à ce propos la fonction du personnel de service chargé de traîner hors de l'amphithéâtre les corps sans vie des gladiateurs, assimilable à celle du démon étrusque Charun; ils rappellent aussi l'origine étrusque du terme *lanista*, employé par les Romains pour désigner l'imprésario qui recrutait et entraînait les gladiateurs. Mais d'autres auteurs - comme Tite-Live (*Histoire de Rome*, IX, 40, 17) - pensent que les jeux furent inventés en Campanie.
Le monde osque et lucain possède en effet des peintures funéraires avec représentations de scènes de course de chars, de pugilat et de duel, qui sont vraisemblablement les plus anciens témoignages figuratifs de combats

à plumes; le Murmillon, avec un poisson représenté sur la crête de son casque; le Thrace, avec son petit bouclier rond *(parmula)*, son casque avec protomé de griffon et son épée recourbée; le Rhétiaire, armé légèrement avec un filet, un trident et une protection métallique, dite *galerus*, sur l'épaule gauche; le *Secutor*, avec son bouclier rectangulaire, sa courte épée ou son poignard très affilé. Les combats se déroulaient en général par couples de guerriers de types différents dites *paria*; pendant l'entraînement, les gladiateurs s'exerçaient avec des armes inoffensives.

pages suivantes:

20. Mosaïque avec scène de combat de gladiateurs. Rome, Galerie Borghèse

21. Mosaïque avec venationes. Rome, Galerie Borghèse

de gladiateurs ante litteram. Expression efficace des idéaux de force et de valeur propres à la noblesse, les jeux s'inscrivaient dans les rituels collectifs de la classe aristocratique du monde italique. Cela explique la forme qu'ils prirent dans un premier temps à Rome, où ils étaient une manifestation privée du pouvoir et du prestige familial. On les désignait par le terme *munera*, c'est-à-dire "spectacles offerts" à la communauté. Les tout premiers jeux furent organisés à l'occasion des funérailles de Brutus Perus, en 264 avant J.-C., par les enfants du défunt; mais leur nombre s'accrut si vertigineusement en quelques années pour des raisons de propagande politique et électorale qu'il fallut voter une loi spéciale (la lex *Tullia de ambitu* de 61 avant J.-C.) pour en réduire les excès. Par la suite, les jeux devinrent du ressort exclusif des empereurs et furent uniquement organisés à l'occasion d'événements publics et d'inaugurations officielles. La règle voulait qu'ils fussent organisés et financés par un *editor* qui, après avoir négocié le prix de chaque gladiateur avec le *lanista*, se chargeait de faire connaître le programme dans les délais. Les gladiateurs entraient dans l'amphithéâtre juste avant le combat, accompagnés par l'*editor*, et faisaient le tour de l'arène pour se présenter au public. Il y avait parmi eux des condamnés à mort, des esclaves, des prisonniers de guerre, mais aussi des hommes libres qui exerçaient la gladiature comme une véritable profession. La plus grande ardeur était exigée dans les combats armés, qui duraient jusqu'à la défaite d'un des deux adversaires: les *incitatores*, le personnel de service qui assistait de près aux combats, étaient chargés de provoquer et d'exciter

le duel. Le combattant qui n'avait pas manifesté assez d'entrain risquait d'être puni de mort. Les vaincus, condamnés sinon à recevoir le coup de grâce, ou les gladiateurs qui n'étaient plus en mesure de combattre, pouvaient demander la grâce *(missio)*, accordée par l'*editor*, ou plus souvent encore par les spectateurs. Comme l'organisation des *munera* exigeait un investissement financier important, on avait plutôt tendance à épargner la vie des gladiateurs, mais la mise à mort de tous les vaincus, telle qu'elle apparaît sur certaines mosaïques, signifiait que les organisateurs des jeux voulaient se montrer particulièrement généreux. Après qu'on se fut assuré de leur décès avec un fer rouge, qui dissuadait toute tentative de simulation, les gladiateurs morts étaient traînés hors de l'amphithéâtre par la *Porta Libitinaria* et emmenés dans le *spoliarium*. Les vainqueurs recevaient habituellement la palme et la couronne et parfois des prix en argent; les condamnés à mort auxquels avait été accordée la liberté, c'est-à-dire qui n'étaient plus obligés d'exercer la gladiature, recevaient une massue de bois (*rudis*).

Les *venationes* étaient des combats entre des hommes et des animaux et entre des animaux féroces; elles simulaient de véritables parties de chasse. C'est à l'époque impériale qu'elles furent associées aux *munera gladiatorum*; elles étaient auparavant considérées comme des jeux funèbres et surtout triomphaux et se déroulaient en tant que tels dans le cirque. La mode s'en était répandue à Rome à la suite des guerres de conquête dans le bassin méditérranéen qui avaient permis d'importer dans la capitale les premiers animaux exotiques comme les lions, les panthères, les léopards et les hippopotames. Les premières *venationes*

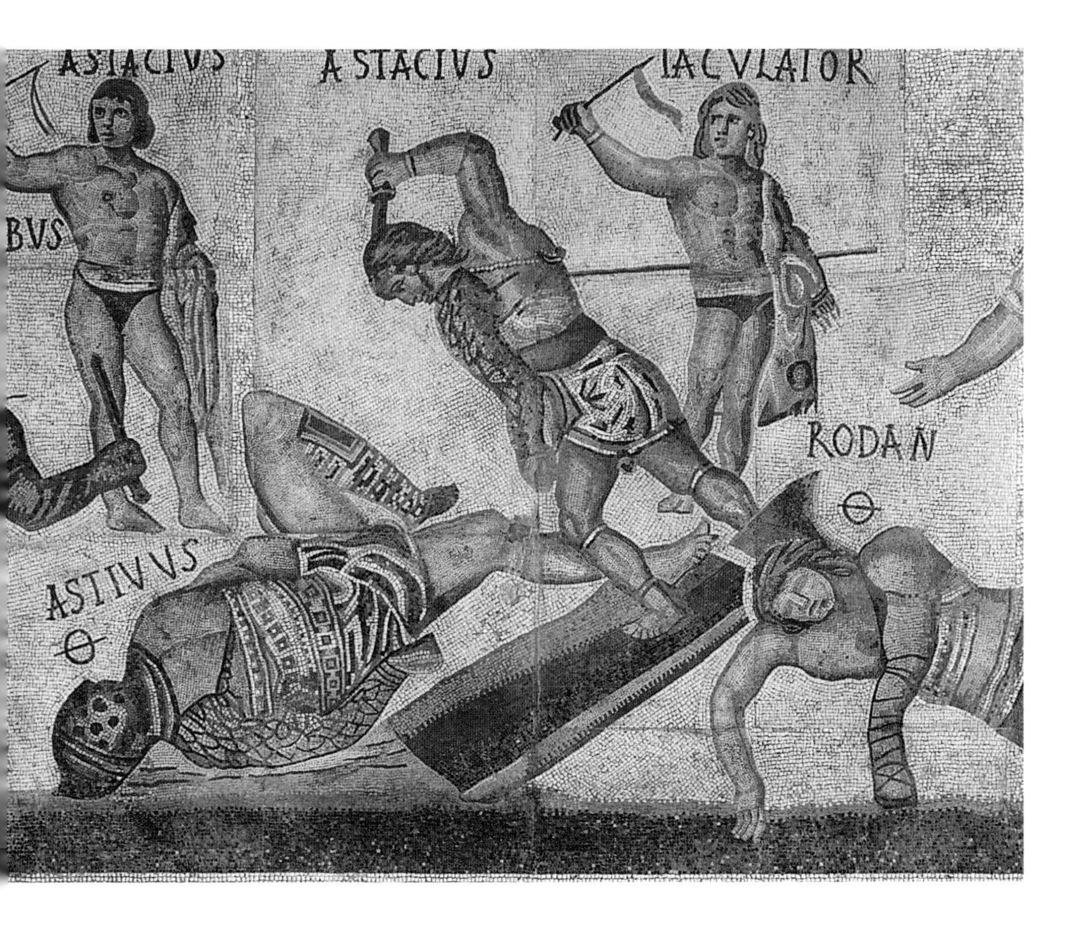

offertes par Fulvius Nobiliores en 186 avant J.-C. et par Scipion Nasica et Publius Lentulus en 169 avant J.-C. sont restées célèbres. L'enthousiasme que manifestait le public pour les animaux exotiques ne fit qu'augmenter avec le temps et, parmi les triomphateurs, ce fut à qui exhiberait les plus curieux: comme le rhinocéros transporté par Pompée en 55 avant J.-C., ou la girafe que César présenta aux jeux en 46 avant J.-C. Dans ce cas aussi, le personnel chargé du bon déroulement des jeux était formé de forçats: les *venatores* chargés de mener les chasses, même au risque de leur vie, et les *bestiarii*, qui s'occupaient des animaux dans les souterrains de l'amphithéâtre et les amenaient jusqu'au niveau de l'arène. D'autres hommes s'occupaient en revanche des différentes espèces de fauves dans les *vivarii* de l'empereur. Il existait plusieurs types de chasses, parfois présentées à la suite les unes des autres au cours de la même matinée. Citons la poursuite et la capture de différentes espèces d'animaux féroces, ou bien le combat entre deux animaux (par exemple un éléphant contre un taureau, ou un rhinocéros contre un ours), jusqu'à la mort du perdant. Un troisième type de spectacle, plus pacifique, présentait un chasseur armé d'un filet. Le succès des chasses dépendait de la surprise et de l'excitation qu'elles réussissaient à susciter dans le public. Les décors et les fonds naturels qui apparaissaient soudain au centre de l'arène, les fauves et les venatores qui en sortaient chaque fois avec des mises en scène nouvelles et plus prodigieuses, étaient

expressément inventés pour déchaîner de fortes émotions et pour se graver dans la mémoire des spectateurs. Des festivités et des jeux grandioses furent organisés pour les décennales de Septime Sévère: une *venatio* commença par la simulation d'un naufrage:

«La cage entière dans l'amphithéâtre avait la forme d'un navire et pouvait contenir et libérer quatre cents animaux. Et quand soudain elle s'ouvrit, des ours, des lions, des panthères, des autruches, des ânes sauvages et des bisons - une espèce particulière de bovin, d'une provenance et d'un aspect étrange - en jaillirent; on vit sept cents animaux sauvages courir ensemble poursuivis par des chasseurs. Pour qu'ils correspondent à la durée des fêtes, qui duraient sept jours, le nombre d'animaux était aussi de sept fois cent» (Dion Cassius, LXXVI 1, 4).

C'est vers le milieu du IIe siècle avant J.-C. que Scipion le Jeune établit l'usage de livrer les déserteurs aux fauves, supplice qui est à l'origine d'un rituel ensuite très répandu, la *damnatio ad bestias*, la punition des criminels. Ce rituel était parfois mis en pratique pendant des représentations à sujet mythologique, comme la mise en scène du mythe d'Orphée - le musicien qui charma les animaux au son de sa lyre - qui eut une conclusion tout à fait inattendue, comme le raconte Martial:

«Tout ce que, d'après la renommée, le Rhodope put voir dans le spectacle que lui donna Orphée, l'arène, César, vient de le mettre sous tes yeux. On a

vu ramper des rochers et courir une forêt merveilleuse, telle que fût, paraît-il, le bois des Hespérides. Des bêtes fauves de toute espèce s'y mêlaient au bétail, et de nombreux oiseaux planaient au-dessus du magicien poète: mais il a péri lui-même, déchiré par un ours insensible. Sur ce seul point la légende s'est trouvée contredite» (Martial, *Spectacles*, 21; trad. "Les Belles Lettres").

A l'époque républicaine, pour garantir que les spectacles soient organisés avec régularité, les magistrats édiles avaient l'obligation de pourvoir à leur financement; plus tard, l'organisation des venationes ressortit aux caisses impériales.
Les souverains eurent ainsi l'occasion de donner libre cours à leur générosité, en organisant des spectacles toujours plus somptueux auxquels ils participaient parfois en personne:

«(Commode) le premier jour tua à lui seul cent ours en les frappant depuis le mur du podium; le théâtre était divisé par deux murs croisés qu'une galerie longeait et qui se divisaient réciproquement en deux parties; cela afin de séparer les animaux en quatre groupes, de sorte qu'ils puissent être frappés de toutes les directions et à distance rapprochée» (Dion Cassius, LXXII, 18).

L'attrait pour ces parties de chasse spectaculaires et le désir de voir des animaux exotiques toujours plus nombreux et variés entraîna un développement sensible du commerce des fauves et il devint nécessaire d'instituer un service impérial spécialisé.
Les combats de gladiateurs, condamnés par les empereurs chrétiens, furent suspendus par Honorius et définitivement abolis par Valentinien en 438 après J.-C. Il ne resta que les *venationes*, organisées pour la dernière fois en 523 après J.-C.

L'abandon et la réutilisation du Colisée

Quand l'Amphithéâtre perdit ses fonctions originelles, ses structures se dégradèrent et se transformèrent au fil des siècles. Dans un premier temps, les pièces donnant sur les couloirs circulaires du rez-de-chaussée furent transformées en habitations. Puis, entre le XIIe et le milieu du XIIIe siècle, l'édifice fut englobé dans la forteresse de la famille des Frangipane. Entre-temps, on avait commencé à dépouiller systématiquement l'amphithéâtre de ses blocs de travertin, de ses revêtements de marbre et de tout ce qui pouvait être réutilisé d'une manière ou d'une autre, y compris les crampons métalliques qui unissaient dans l'antiquité les blocs de pierre. Pour récupérer ces crampons, on creusa les trous qui sont encore visibles sur toute la surface des murs. Le pillage transforma peu à peu certains secteurs du monument en de véritables carrières de pierres et l'enceinte extérieure méridionale fut démolie. Les humanistes romains de la première moitié du XVe siècle réclamèrent en vain une politique de protection plus rigoureuse: la récupération des matériaux continua de plus belle, au profit des édifices monumentaux alors en construction, à commencer par le chantier de la basilique Saint-Pierre. L'Église fit ensuite de l'arène un lieu consacré: elle y construisit au début du XVIe siècle une chapelle avant d'installer sur son pourtour à partir de 1720 les stations d'un chemin de Croix. Entre le XVIIe et le XVIIIe siècle, les démolitions ralentirent et les premiers et

22. Venationes dans l'Amphithéâtre, gravure de L. Iacopo (XVIIe siècle). Rome, Institut National pour l'Art graphique

23. Amphithéâtre Flavien, restes de la forteresse des Frangipane (V. Scamozzi, 1552-1616)

Une visite au Colisée

"*Rome 2 février 1787.*
Le Colisée offre un coup d'oeil singulièrement beau. Il est fermé la nuit; un ermite a son habitation dans la chapelle voisine, et des mendiants sont accroupis sous les voûtes en ruine. Ceux-ci avaient allumé un feu sur la terre nue et un vent léger poussait doucement la fumée vers l'arène, de sorte que le mur le plus bas en était enveloppé et que les murs immenses émergeaient plus sombres en haut. Nous nous sommes arrêtés près de la grille

LE COLISÉE

timides travaux de restauration commencèrent; au XIXe siècle on entreprit pour la première fois des fouilles systématiques, confiées à Carlo Fea (1812-1815) et à Pietro Rosa (1874-1875). Les recherches permirent de mettre au jour les structures souterraines de l'arène, ce qui entraîna la suppression des stations du chemin de Croix et de la chapelle qui se dressait dans le secteur sud des gradins. Les premières interventions importantes de consolidation et de restauration eurent lieu au cours de ces mêmes années. En 1805-1807, Raffaele Stern construisit l'éperon en briques dans le secteur oriental; en 1827, Giuseppe Valadier releva l'enceinte extérieure du côté opposé. Enfin, entre 1831 et 1852, G. Salvi et L. Canina exécutèrent des travaux sur la structure interne, au sud et au nord. D'autres travaux de restauration des gradins et des souterrains furent exécutés dans les années 1930.

pour observer ce spectacle. La lune brillait haute dans le ciel; et, peu à peu, la fumée qui s'élevait à travers les murs, les fissures, les ouvertures, fut éclairée par sa lumière comme un brouillard. Le spectacle était merveilleux. C'est sous cet éclairage qu'il faut voir le Panthéon, le Capitole, le péristyle de Saint-Pierre et les autres places et les rues principales."
(J.W. Goethe, *Voyage en Italie*, 1786-1788).

24. H. Robert (1733-1808), Fouilles à l'intérieur du Colisée. Madrid, Musée du Prado

25. Amphithéâtre Flavien, extérieur. Vue de l'éperon de R. Stern (1774-1820)

26. Amphithéâtre Flavien, extérieur. Vue de l'éperon de G. Valadier (1762-1839)

27. Canaletto (1697-1768). Le Colisée et l'Arc de Constantin. Malibu, Paul Getty Museum

28. Planimétrie du Ludus Magnus

Integrations hypothétiques

Integration du plan sévèrien

Topographie assurée

Le *Ludus Magnus*
Entre la via Labicana et la via di San Giovanni in Laterano, dans un secteur entouré de barrières au centre de la place s'étendent les structures du *Ludus Magnus*, la plus grande école de gladiateurs de la Rome antique. Les fouilles, commencées en 1937 puis reprises entre 1957 et 1961, n'ont mise au jour que le secteur nord de l'édifice dont il est néanmoins facile d'imaginer la forme courbe de la *cavea*. Grâce à un fragment de la *Forma Urbis* (le plan de marbre de la ville de Rome datant de l'époque de Sévère dont il nous est parvenu des fragments), où est rapportée la dénomination de l'édifice, on a pu reconstituer avec précision l'ensemble de la structure. Celle-ci était composée d'une arène rectiligne (le grand axe avait 62 mètres de long, le petit axe 42 mètres) entourée par les gradins d'une petite *cavea*, revêtue à l'origine de plaques de marbre. Les entrées principales de l'arène étaient situées sur le grand axe et les tribunes des autorités sur le petit axe. La *cavea* était entourée d'un portique à deux étages de colonnes toscanes en travertin, décorées aux angles de fontaines (l'une de ces fontaines a été reconstruite à l'emplacement de l'angle nord-ouest), sur lequel donnaient les logements des gladiateurs. Dans le côté nord du secteur des fouilles (qui donne sur la via Labicana), on peut voir une série de petites cellules assez bien conservées et disposant d'escaliers pour monter aux étages supérieurs.
Les gladiateurs étaient logés dans le *Ludus* dans un état de captivité permanente et ils étaient soumis à un entraînement quotidien et à une discipline de fer. Une galerie souterraine reliait directement l'arène à l'entrée sud du Colisée.
La construction originelle remonte à l'époque de Domitien; elle s'éleva à l'emplacement d'un quartier d'habitation datant de la fin de la période républicaine-augustéenne et dont on peut voir des traces évidentes (un pavage à mosaïques est visible à l'emplacement du côté sud, en direction du Caelius). Les vestiges de la *cavea* et de l'arène correspondent à une restauration plus tardive datant de l'époque de Trajan. D'autres édifices analogues devaient s'élever sur la place à côté du *Ludus Magnus*: le *Ludus Matutinus* pour l'entraînement des venatores, le *Ludus Dacicus* et le *Ludus Gallicus*, qui tiraient leur nom du lieu d'origine des gladiateurs qui y logeaient. En outre, nous devons aussi imaginer à proximité de l'Amphithéâtre toutes les structures aux fonctions auxiliaires qui étaient associées au Colisée, comme le *spoliarium*, où étaient déposés les cadavres des gladiateurs après les combats dans l'arène, le *saniarium*, où étaient emmenés les gladiateurs blessés, et l'*armamentarium*, le dépôt d'armes.
Et, vraisemblablement plus au nord, les *Castra Misenatium*, où logeaient les marins de la flotte chargés des manoeuvres du *velarium*, et le *Summum Choragium*, qui servait de dépôt pour les machines scéniques.

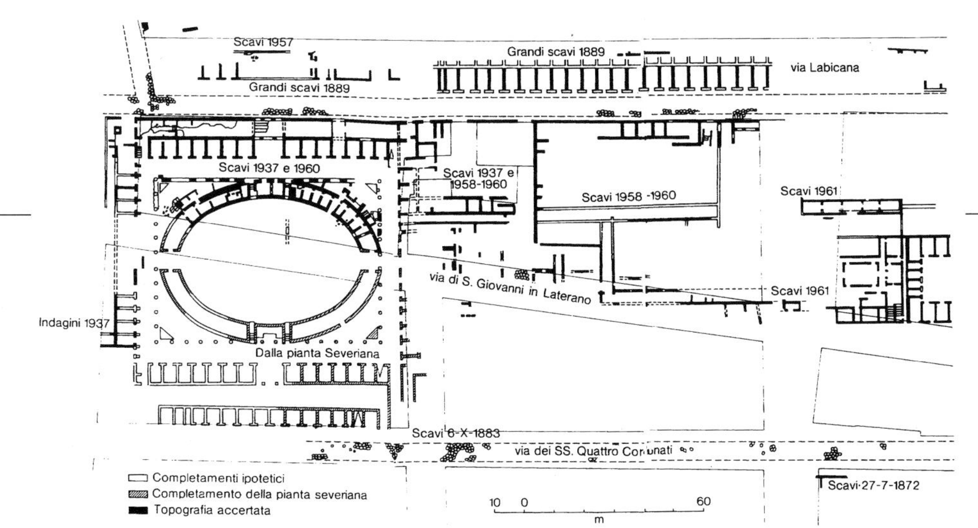

LA META SUDANS

Dans le secteur compris entre l'Arc de Constantin, le flanc sud du Palatin et les vestiges de la base du Colosse datant de l'empereur Hadrien, on a récemment mis au jour les portiques conçus et construits par Néron autour du petit lac artificiel de la Maison Dorée. Ils servaient de raccord entre le vestibule du Palais placé au sommet de la Velia (où se trouve maintenant le Temple de Vénus et Rome) et la vallée située en contrebas. Des vestiges sont actuellement visibles entre l'Amphithéâtre Flavien et la base circulaire de la fontaine monumentale de l'époque flavienne que les Anciens appelaient *Meta Sudans.* La *Meta,* d'une forme conique caractéristique semblable à la *meta* d'un cirque, et dite *sudans* à cause de l'eau qui en jaillissait, était située au point de convergence de quatre ou peut-être cinq régions administratives de l'époque d'Auguste (II, III, IV, X et peut-être I) et d'autant d'artères. La fontaine était composée d'un cône (17 mètres de haut et 7 mètres de diamètre) et d'une grande vasque circulaire de 16 mètres de diamètre; on peut imaginer son aspect originel grâce aux monnaies de l'époque qui représentent les niches de la base et l'élément floral placé au sommet du cône. Ce qui restait du monument, encore bien visible sur les photos du début du siècle, fut démoli avec la base du Colosse située à proximité lors de la construction de la via dei Trionfi et de la via dell'Impero en 1933.

29. Plaque en terre-cuite de l'époque d'Auguste provenant du Temple d'Apollon Palatin avec jeunes filles qui ornent un bétyle, symbole aniconique d'Apollon. La Meta Sudans, qui reprend la forme conique et la structure à niches de la base du bétyle, avait peut-être la même fonction symbolique, comme signe de la mémoire du lieu de la maison natale d'Auguste

30. Reconstruction graphique de la Meta Sudans (I. Gismondi)

31. Les portiques du Stagnum Neronis et la base de la Meta

32. La Meta Sudans sur une photo d'époque, avant les démolitions mussoliniennes décidées pour raison de circulation, comme l'écrivit le Gouverneur Boncompagni Ludovisi en septembre 1933: «...la conservation des deux ruines monumentales de la Base du Colosse de Néron et de la Meta Sudans... constitue sans aucun doute un très grave embarras... obligeant les véhicules... à tourner en prenant un virage très serré...»

IMP CAES
P F AVGVSTO S P Q R
DINSTINCTV DIVINITATIS MENTIS
GNITVDINE CVM EXERCITV SVO
DE TYRANNO QVAM DE OMNI EIVS
CTIONE VNO TEMPORE IVSTIS
PVBLICAM VLTVS EST ARMIS
CVM TRIVMPHIS INSIGNEM DICAVIT

L'ARC DE CONSTANTIN

L'Arc de Constantin, situé sur la voie romaine que parcouraient les triomphes, dans la partie comprise entre le Cirque Maximus et l'Arc de Titus, est le plus grand arc commémoratif qui nous soit parvenu et il représente une synthèse précieuse de la propagande idéologique de la période constantinienne.
Cet arc célèbre le triomphe de l'empereur Constantin sur Maxence, qui eut lieu le 28 octobre de l'an 312 après J.-C. à la suite de la bataille victorieuse du Pont Milvius. Comme on peut le déduire de l'inscription placée au-dessus de l'arche centrale, ce monument fut solennellement dédié par le Sénat à l'empereur en mémoire de ce triomphe et à l'occasion des *decennalia* de l'Empire, au début de la dixième année du règne de Constantin, le 25 juillet de l'an 315 après J.-C. Le texte dit: "A l'empereur César Flavius Constantin Maximus Pius Felix Augustus, puisque par inspiration divine et grande sagesse, avec son armée et avec de justes armes, il a libéré l'État du tyran (Maxence) et de toutes les factions, le Sénat et le Peuple Romain dédièrent un arc décoré de représentations triomphales." Certains ont voulu voir dans l'"inspiration divine" de l'épigraphe *(instinctu divinitatis)* une allusion à la "conversion" de Constantin au christianisme et à la légende voulant qu'il ait remporté la victoire grâce à une apparition de la "Sainte Croix". En réalité, la question a été très débattue, et il est très difficile de définir avec précision la politique religieuse de Constantin.
Le monument, inclus au milieu du XIIe siècle dans la forteresse de la famille des Frangipane, a été l'objet de travaux de restauration et d'étude à partir de la fin du XVe siècle et pendant tout le XVIe, mais l'intervention la plus importante remonte à 1733, quand on apporta d'importants ajouts aux parties manquantes. La décoration en plaques de marbre à relief, qui orne les trois arches sur plusieurs registres, fut conçue et réalisée à l'époque de Constantin selon un projet unitaire, à l'aide de matériaux en général prélevés sur d'autres monuments impériaux. La composition de l'arc peut donc être divisée en registres chronologiques et stylistiques distincts, même si le choix des scènes révèle une unité thématique bien précise. Des reliefs de l'époque de Trajan, d'Hadrien, de Marc-Aurèle et, dans la partie basse, de l'époque de Constantin alternent selon des schémas symétriques sur les faces principales de l'arc et sur les petits côtés; ils réunissent différents épisodes de l'histoire de l'Empire et présentent ainsi un témoignage précieux sur le langage figuratif de la propagande impériale: ils permettent de jeter un coup d'oeil unitaire sur plus de deux siècles d'histoire de l'art officiel romain. Les quatre panneaux de l'époque de Trajan, qui étaient disposés à l'origine en une frise continue, devaient orner le Forum de Trajan comme revêtement de l'attique de la Basilique Ulpienne. Selon une hypothèse récente, les rondes-bosses de l'époque

33. Arc de Constantin, côté sud

34. Tête colossale de Constantin. Rome, Musées Capitolins

35. A.L. Ducros (XVIIIe siècle). Vue générale du Palatin avec l'Arc de Constantin

d'Hadrien se trouvaient sur l'arc d'entrée d'un sanctuaire dédié au culte d'Antinoos, le jeune amant de l'empereur, qui apparaît en effet dans plusieurs scènes de chasse et de sacrifice. Quant aux reliefs de Marc-Aurèle, auxquels il faut ajouter trois autres panneaux qui ont les mêmes thèmes et les mêmes dimensions, actuellement exposés au Palais des Conservateurs, ils étaient destinés à l'origine à l'*Arcus Panis Aurei* situé sur les pentes du Capitole, un arc commémoratif qui célébrait le triomphe de l'empereur sur les populations germaniques. Tous les visages de l'empereur qui apparaissent sur les reliefs ont été remodelés à la ressemblance de Constantin, avec un nimbe qui connotait la majesté impériale. Le visage de Licinius, l'empereur d'Orient, apparaît quant à lui sur les rondes-bosses avec scènes de sacrifice. La tête représentée sur les panneaux de l'époque d'Aurélien est celle de l'empereur Trajan; elle fut ajoutée lors des travaux de restauration du XVIIIe siècle.

L'usage politique des images du passé

Les nombreuses images qui recouvrent les côtés de l'arc, en un système complexe et structuré, suivent en réalité un fil conducteur précis et clairement identifiable: la célébration du projet politique de restauration de l'Empire promu par Constantin. L'empereur est le nouvel arbitre de la destinée de Rome, le triomphateur légitime de son rival tyrannique Maxence, et c'est en tant que tel qu'il veut être célébré et reconnu; il choisit dans ce but un monument traditionnel et bien enraciné dans l'histoire impériale: l'arc de triomphe. Comme couronnement évident du rôle qu'il a joué au pouvoir, il projette ce monument pour raconter ses propres victoires, mais décide aussi de le décorer avec des images plus anciennes, arrachées à la mémoire d'autres édifices. Dioclétien en avait fait de même avant lui en composant avec des décorations récupérées l'*Arcus Novus* sur la via Lata.
Les images du passé, les guerres et les triomphes des grands héros de l'Empire étaient le symbole d'une autorité à laquelle Constantin devait recourir pour légitimer son pouvoir, c'était la garantie de la stabilité de son gouvernement et consensus politique dont il jouissait.
Les épisodes tirés des campagnes victorieuses de Trajan et de Marc-Aurèle étaient des évocations historiques de triomphes du passé; mais ils célébraient aussi le présent (la victoire sur Maxence) dans une perspective historique bien consolidée de gloire et de pouvoir. Dans la dialectique constante entre passé et présent, le souvenir des grands personnages de l'Empire suggérait une continuité temporelle entre Constantin et les *optimi principes* de l'âge d'or.
Cela nous permet de comprendre en partie l'organisation des images sur les deux grands côtés, fondée sur le rapprochement de thématiques homogènes: des épisodes guerriers sur le côté sud et, sur le côté nord, des scènes de paix et de vie publique, qui accompagnaient idéalement la procession triomphale de l'extérieur (Sud) vers l'intérieur de la ville (Nord). Dans cette vision absolue et presque abstraite de la guerre et de la paix, le discours aux troupes (7), la clémence à l'égard des vaincus (18), la *pietas* envers les dieux (8, 2, 4, 12, 14) ou la libéralité à l'égard du peuple (17, VI), résumaient par des scènes emblématiques et symboliques les vertus du souverain et célébraient sa force morale.
L'idée de remodeler les visages des empereurs du passé et de les transformer en portraits de l'empereur vivant, suivant un usage bien connu dans la propagande impériale, faisait partie du même programme; elle permettait même d'identifier concrètement Constantin aux qualités et au prestige de ses prédecesseurs.

Époque de Trajan

Époque d'Hadrien

Époque de Marc-Aurèle

Époque de Constantin

Les reliefs de l'arc

Sur les hautes bases des colonnes qui ornent les deux façades, on peut voir des Victoires sculptées avec des trophées et des prisonniers et, sur les côtés des arches centrales et latérales, respectivement des Victoires avec trophées, des génies saisonniers et des divinités fluviales.
La basse **frise** qui court sans interruption au-dessus des petites arches et qui entoure tous les côtés de l'arc raconte la campagne de Constantin contre Maxence, qu'il faut observer en séquence, au terme de la description. Passons maintenant à l'analyse de la partie supérieure de l'arc et commençons par le **côté méridional**: le registre situé immédiatement au-dessus de la frise constantinienne est occupé par une série de quatre rondes-bosses de l'époque d'Hadrien, disposées par paires au-dessus des arches latérales, qui représentent l'empereur et sa suite dans des scènes de chasse et de sacrifice. De gauche à droite, le départ pour la chasse (1), un sacrifice au dieu Sylvain (2), la chasse à l'ours (3) et le sacrifice à Diane (4). La décoration de l'attique, sur les côtés de l'inscription centrale, présente deux paires de panneaux de l'époque de Marc-Aurèle, encadrés par quatre statues de prisonniers daces (A) de l'époque de Trajan (avec des mains et des têtes ajoutées au XVIIIe siècle).
Les reliefs représentent des scènes de la campagne de l'empereur contre les populations germaniques, définitivement vaincues en 175 après J.-C.
Dans l'ordre: la présentation d'un chef barbare aux Romains (5) et de prisonniers à l'empereur (6), le discours du souverain aux troupes *(adlocutio)* (7) et une scène de sacrifice dans le camp (8).

A
S · FL · CONSTANTINO · MAXIMO
AVGVSTO · S · P · Q · R ·
TINCTV DIVINITATIS MENTIS
VDINE CVM EXERCITV SVO
YRANNO QVAM DE OMNI EIVS
ONE VNO TEMPORE IVSTIS
BLICAM VLTVS EST ARMIS
RIVMPHIS INSIGNEM DICAVIT
7
8
A
SIC · XX ·
2
3
4
III

Sur le **petit côté oriental**, au-dessus de la frise, on peut voir une ronde-bosse de l'époque de Constantin avec Apollon/Soleil sur un quadrige qui sort de la mer (9), et sur l'attique un panneau de l'époque de Trajan avec l'empereur dans une scène de bataille (10).

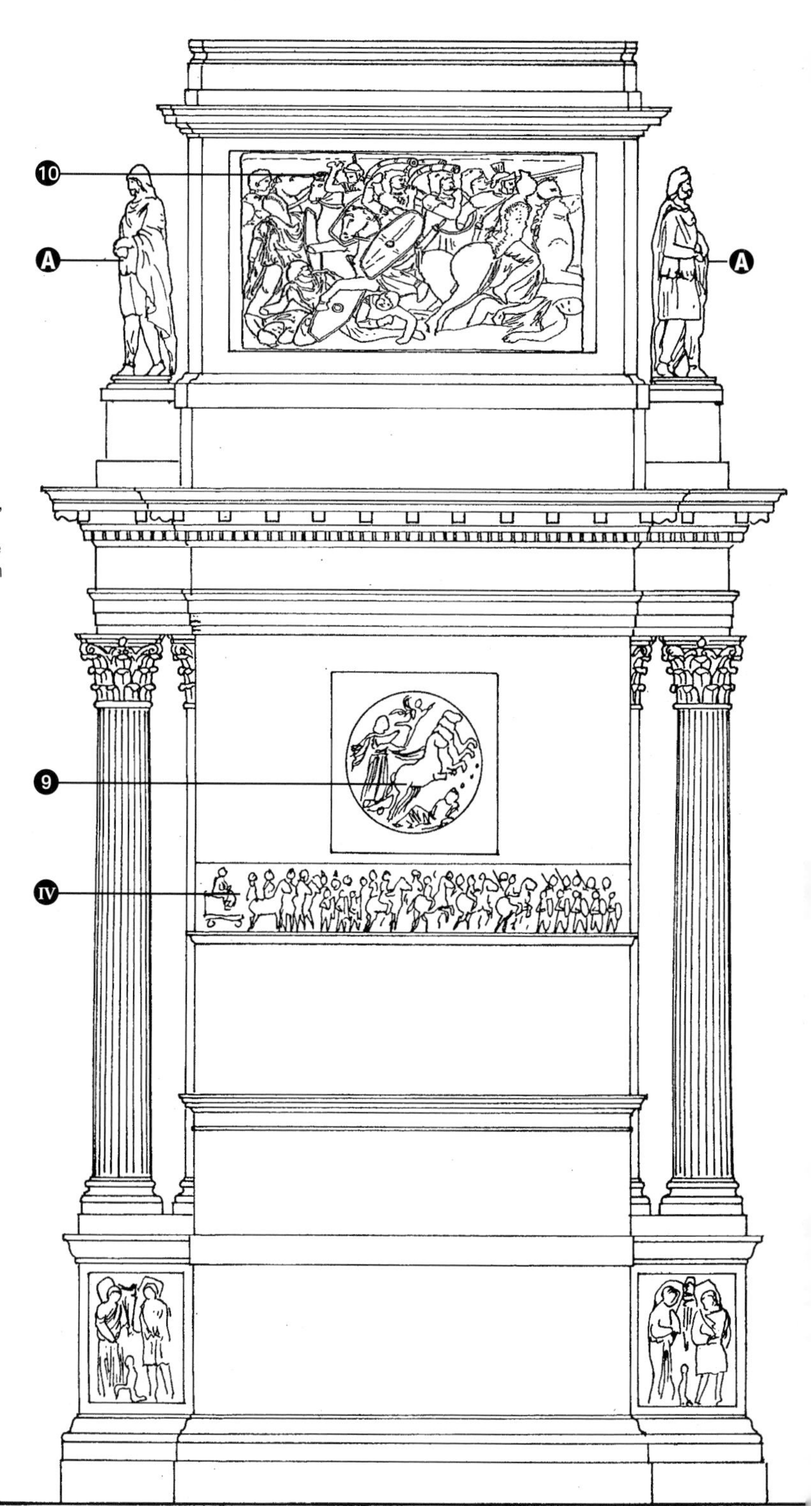

36. Arc de Constantin, côté sud. Ronde-bosse de l'époque d'Hadrien avec scène de départ pour la chasse

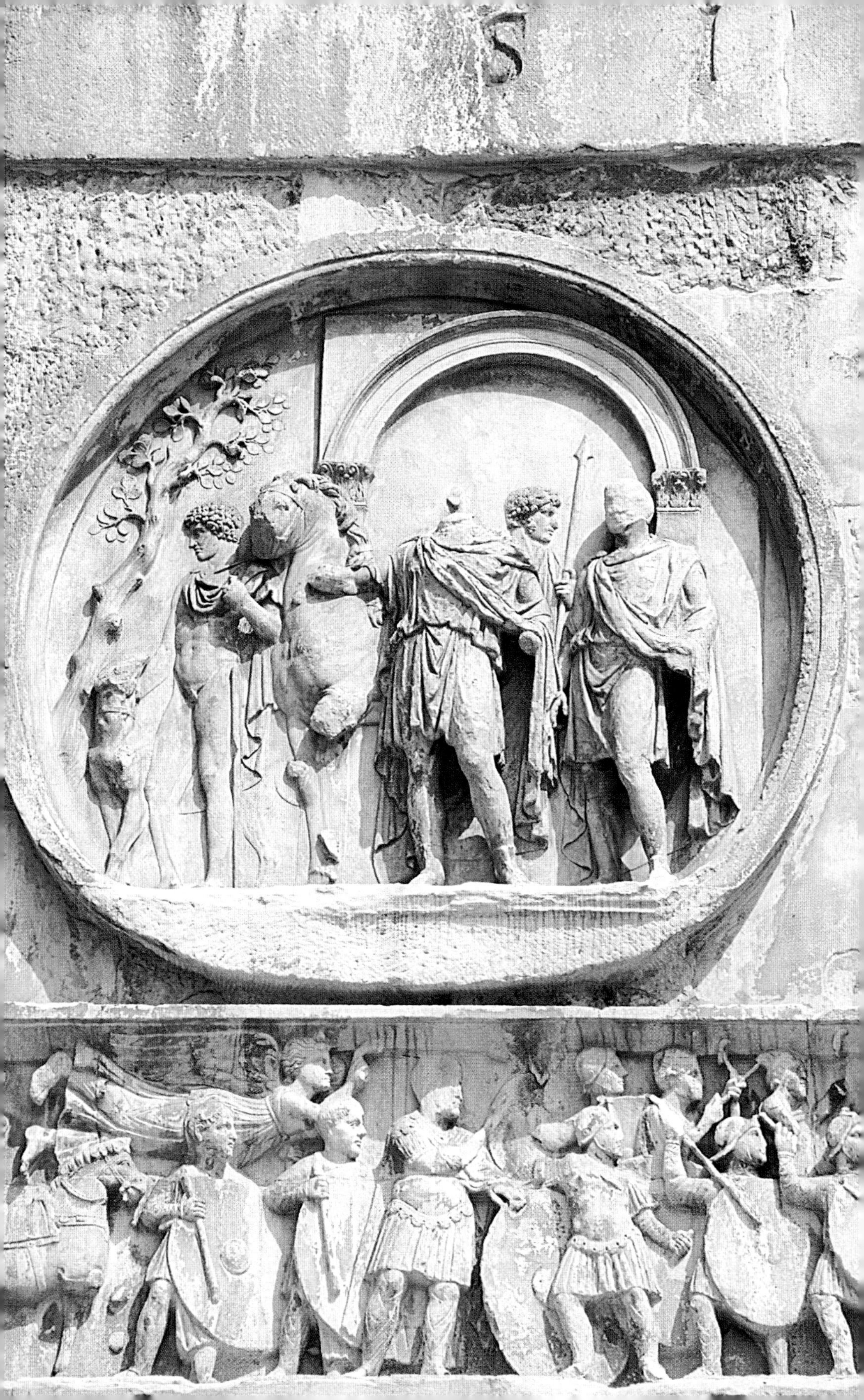

Sur le **côté septentrional**, symétrique au côté méridional, nous trouvons quatre rondes-bosses de l'époque d'Hadrien avec: chasse au sanglier (11), un sacrifice à Apollon (12), une chasse au lion (13) et un sacrifice à Hercule (14): Sur l'attique, les quatre panneaux de Marc-Aurèle, encadrés eux aussi par quatre prisonniers daces (A), présentent: l'arrivée (*adventus*) (15) et le départ (*profectio*) de l'empereur (16), la distribution de cadeaux au peuple (*liberalitas*) (17) et une scène de clémence à l'égard d'un chef barbare (*clementia*) (18).

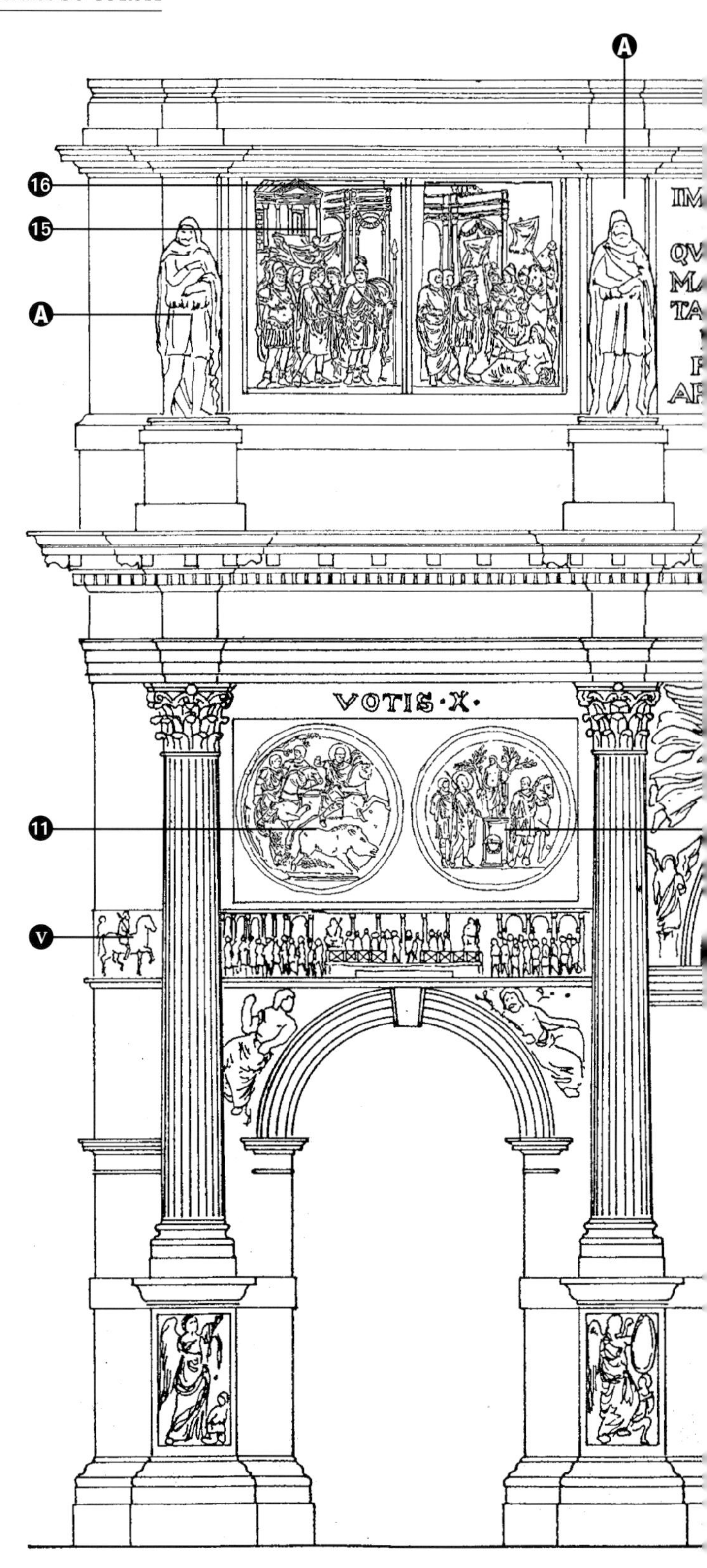

A
17
18
A
S · FL · CONSTANTINO · MAXIMO
AVGVSTO · S · P · Q · R ·
TINCTV DIVINITATIS MENTIS
VDINE CVM EXERCITV SVO
YRANNO QVAM DE OMNI EIVS
ONE VNO TEMPORE IVSTIS
BLICAM VLTVS EST ARMIS
RIVMPHIS INSIGNEM DICAVIT
VOTIS · XX ·
12
13
14
VI

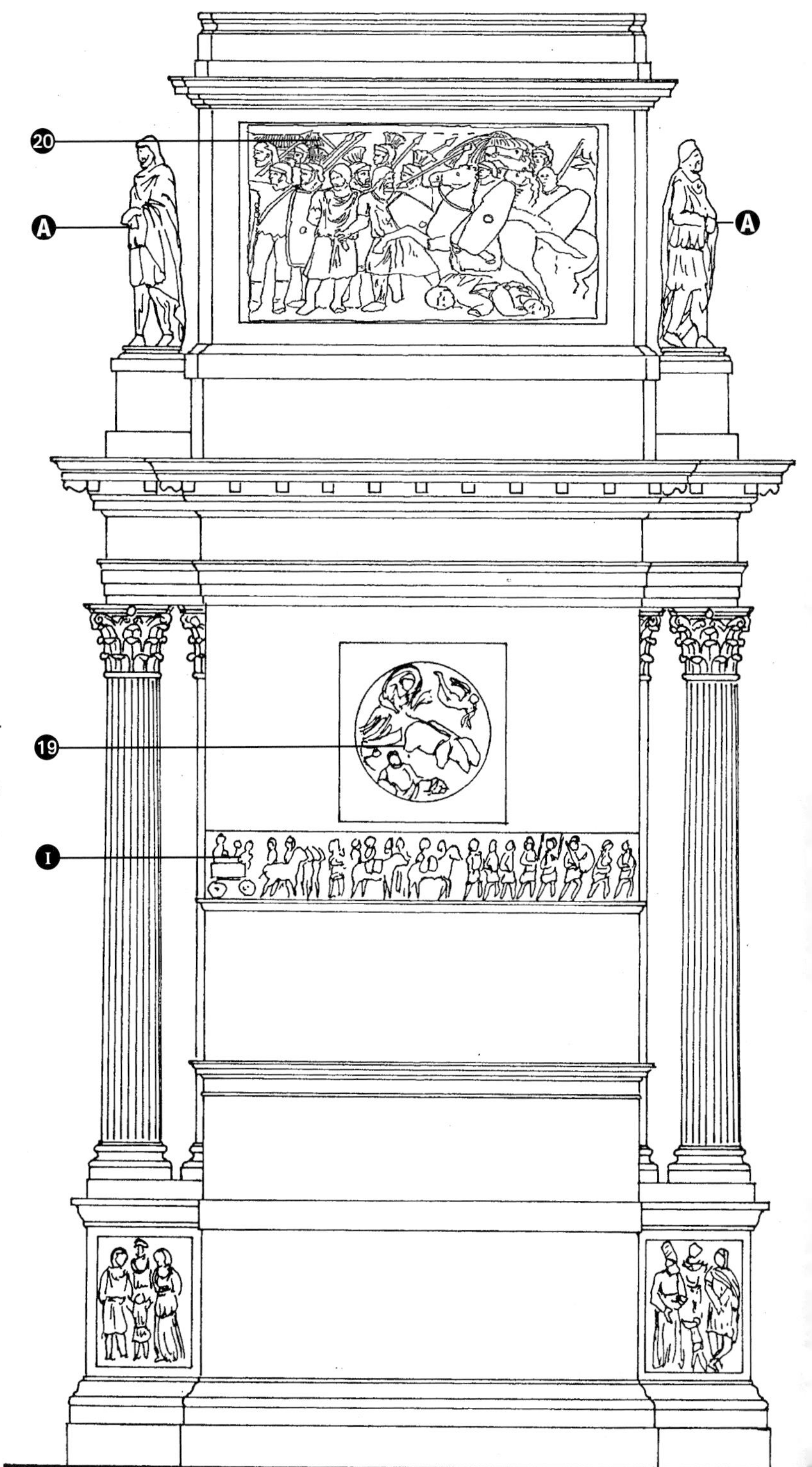

Sur le **petit côté occidental** on peut admirer une deuxième ronde-bosse de l'époque constantinienne, symétrique à la ronde-bosse orientale, avec Diane/Lune sur un char (19) et sur l'attique un autre panneau de l'époque de Trajan avec une scène de bataille (20). C'est également sur ce côté que commence la frise constantinienne avec l'armée au départ de Milan (I), suivie sur le côté sud par le siège de Vérone (II) et par la bataille du Pont Milvius (III), et sur le côté est par l'entrée triomphale de Constantin à Rome (IV) et enfin sur le côté nord par le discours à la foule sur les *Rostra* du Forum Romain et par la distribution des cadeaux au peuple (*liberalitas*) (V-VI).

37. Arc de Constantin, côté nord. Ronde-bosse de l'époque d'Hadrien avec scène de chasse

A l'**intérieur de l'arche centrale**, les deux panneaux de l'époque de Trajan représentent: à l'est l'entrée triomphale de Trajan à Rome *(adventus)* (21) avec l'inscription *'Fundatori quietis'* (Au fondateur de la paix); à l'ouest, une scène de bataille (22) avec l'inscription *'Liberatori Urbis'* (Au libérateur de Rome).

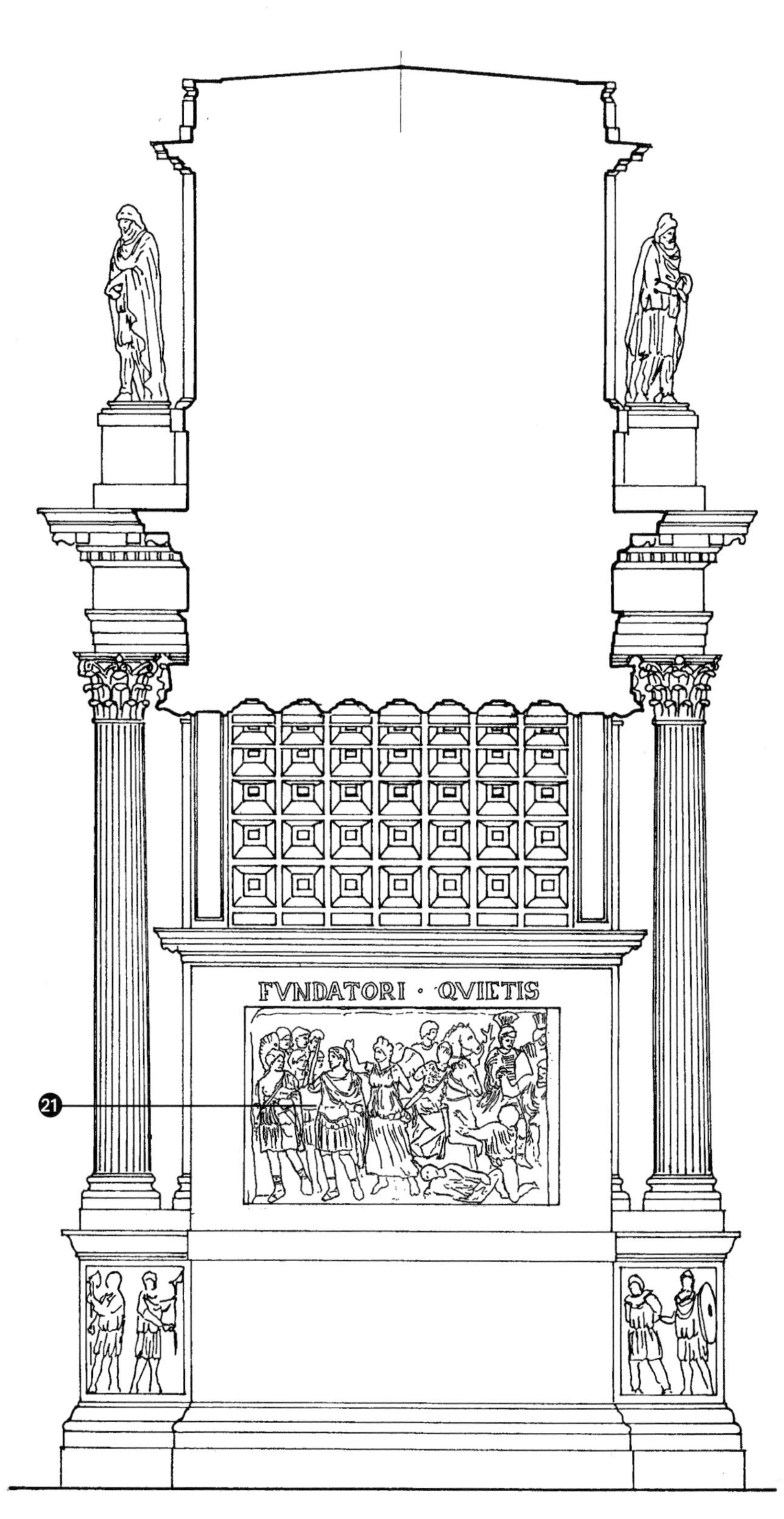

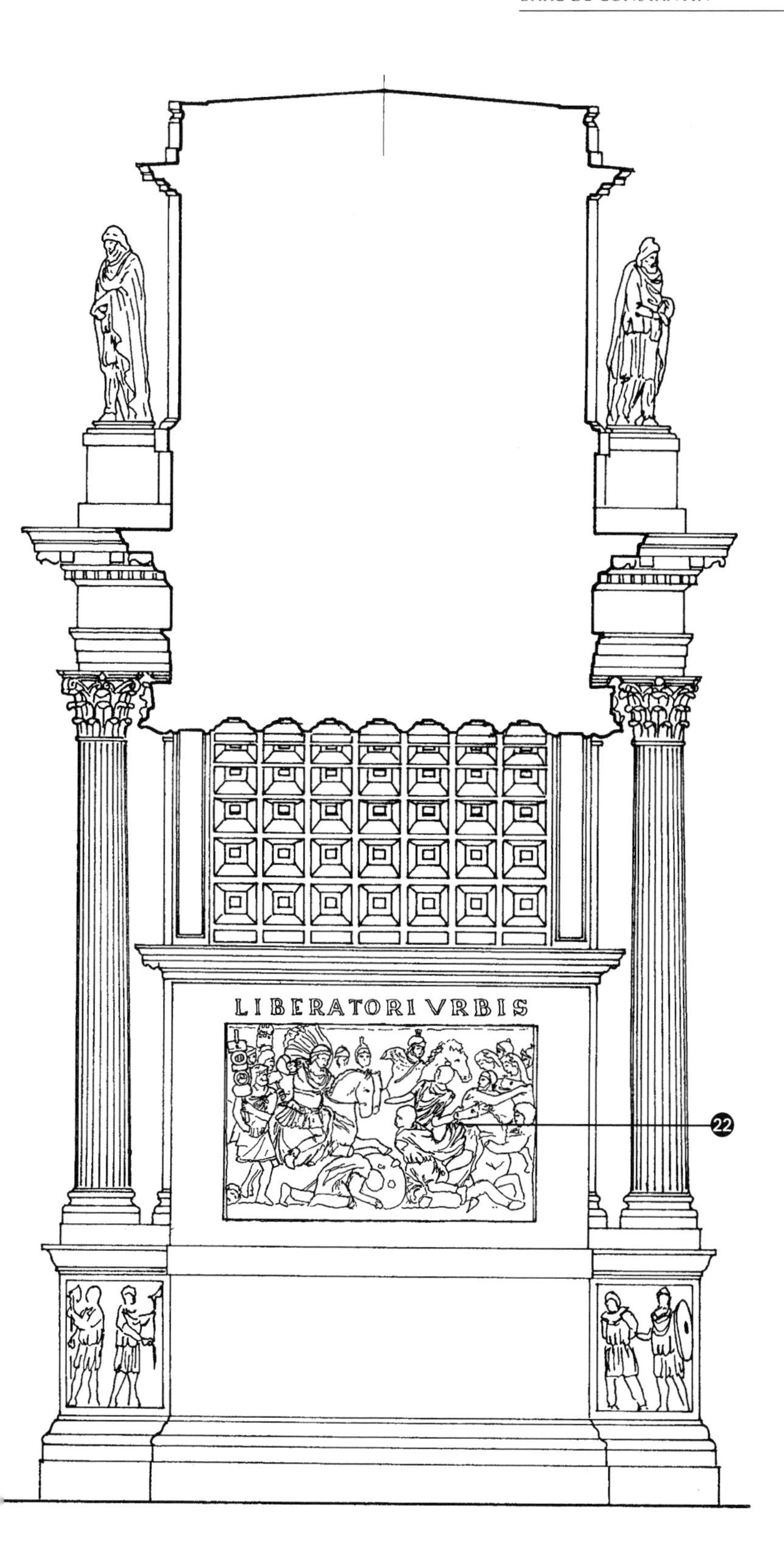
LIBERATORI VRBIS
22

LE TEMPLE DE VÉNUS ET ROME

Le versant de la Velia donnant sur la vallée du Colisée conserve les restes du temple de Rome le plus imposant, fruit d'un grand projet architectural de l'empereur Hadrien: le Temple de Vénus et Rome. La construction du temple commença en 121 après J.-C., elle fut interrompue à la mort du souverain en 138 après J.-C. et elle fut menée à terme par son successeur Antonin le Pieux. Les travaux entraînèrent la démolition des structures du vestibule de la Maison Dorée de Néron et l'enlèvement de la statue du Colosse qui s'y dressait:

«(Hadrien) fit déplacer le Colosse pour faire construire à sa place le Temple de la déesse Rome: cette entreprise grandiose, consistant à soulever le simulacre sans le renverser, fut confiée à l'architecte Decrianus et exigea, entre autres, l'emploi de vingt-quatre éléphants. Il fit ensuite enlever à la statue la tête de Néron à qui elle avait été dédiée, il la consacra au Soleil et en commanda à l'architecte Apollodore une autre semblable consacrée à la Lune» (Écrivains de l'Histoire Auguste, *Hadrien*, 19, 12-13).

L'édifice d'Hadrien respecta toutefois les lignes et l'orientation des somptueuses constructions de Néron, en partie réutilisées pour les fondations de l'édifice. La platée du temple, reposant sur des substructures artificielles, était entourée sur ses grands côtés de doubles portiques avec des colonnes de granit gris sur lesquels s'ouvraient deux propylées. Les côtés courts laissaient la vue dégagée sur les façades du temple, construit au centre et entouré d'un péristyle formé d'une double rangée de 10 x 22 colonnes corinthiennes. Il était pourvu à l'intérieur de deux cella symétriques au fond desquelles se dressaient les statues des deux divinités vénérées: Vénus dans la cella vers le Colisée et Rome dans la cella donnant vers le Forum. L'abandon évident des règles architecturales du temple romain dans le projet d'Hadrien et le respect intégral des canons grecs répond parfaitement au profil culturel de l'empereur, qui s'inspira de la culture grecque pour construire son image de souverain. Mais c'est

38. Buste portrait d'Hadrien de la Collection Ludovisi. Rome, Musée National Romain

39. Le Temple de Vénus et Rome et l'Amphithéâtre Flavien

pages suivantes:

40. Planimétrie de la vallée du Colisée

41. Temple de Vénus et Rome: copie d'un dessin de A. Palladio. Berlin, Staatliche Museen

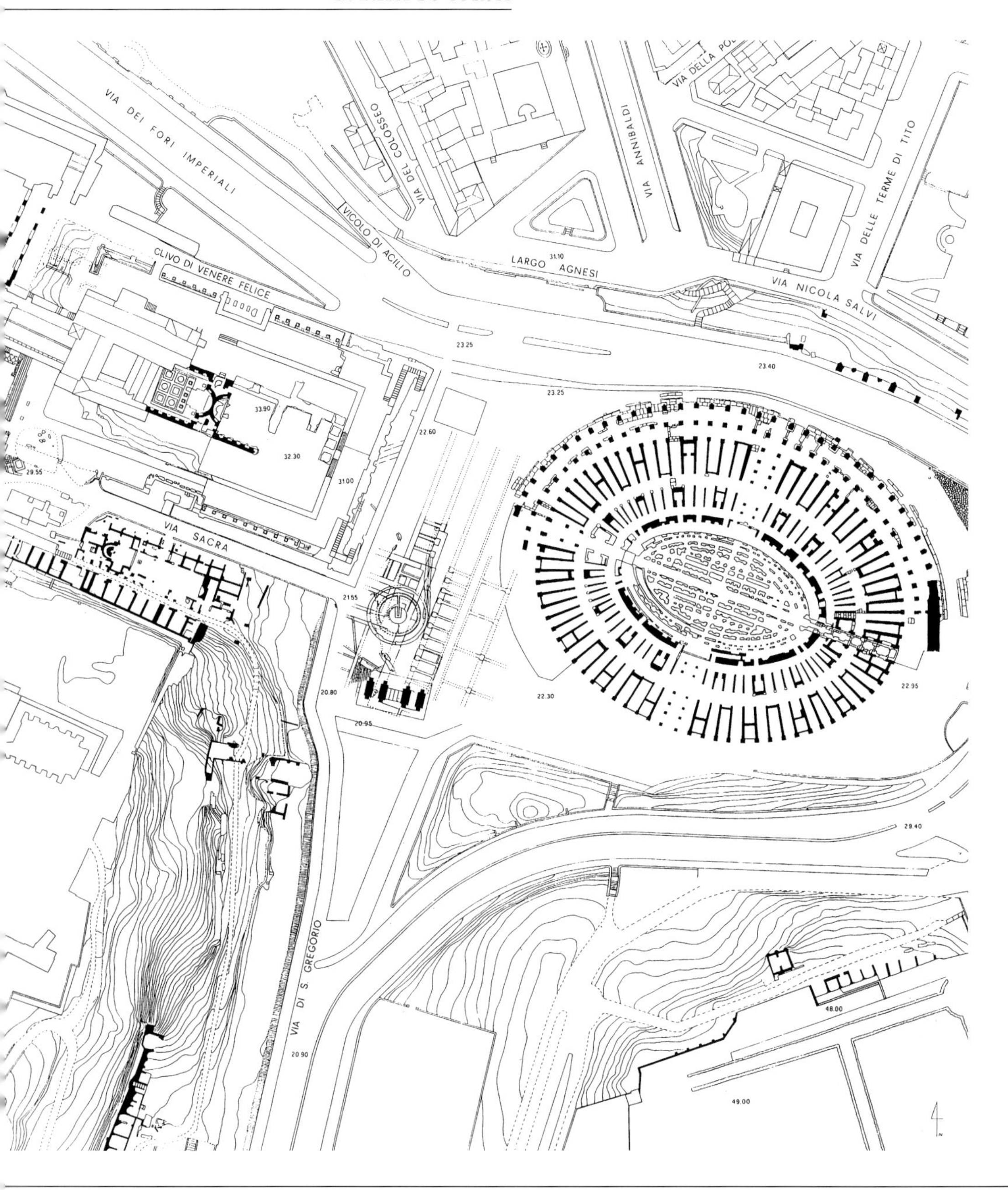

Hadrien et le culte de Vénus et Rome

La dédicace du temple grandiose sur la Velia - le jour de l'anniversaire de Rome (21 avril, fête des *Palilia*, qui prirent alors la dénomination de *Romaia*) correspondant au 874e anniversaire de la fondation de la ville - représente le couronnement du programme politique et religieux d'Hadrien, centré sur le culte d'*Aeternitas* (de Rome et de l'empereur). L'événement est célébré, entre autres, par une nouvelle série de monnaies portant l'effigie allégorique de Aion, la personnification du temps absolu et éternel, tenant dans sa main un globe surmonté d'un phénix, l'oiseau aux chairs incorruptibles, symbole d'apothéose et d'immortalité. La nouvelle place du Colosse du Soleil dans la vallée au-dessous du temple, et les éléphants (symboles eux aussi d'éternité), employés pour le déplacement, accrurent la force évocatrice et symbolique de la dédicace. D'autre part, déjà sous Auguste, l'idée de la *Aeternitas Urbis* avait été liée à la figure de Romulus et au justement son amour pour l'art grec qui provoquera un conflit professionnel avec l'architecte de Trajan, Apollodore de Damas, lequel critiqua l'absence d'un podium assez haut, et donc d'un élément traditionnel de l'architecture des temples romains. Cette polémique déplut à Hadrien qui le mit à mort.

«(Hadrien) envoya donc à Apollodore le plan du Temple de Vénus et Rome pour lui démontrer qu'un grand édifice pouvait être construit sans son aide et il demanda si les fondations étaient satisfaisantes. L'architecte lui répondit qu'en premier lieu, en ce qui concernait le temple, il aurait dû l'élever sur un terrassement et enlever la terre en bas de sorte que depuis la Voie Sacrée, en vertu de sa position surélevée, il fût bien visible et que les machines soient placées dans la partie creuse afin qu'elles soient rassemblées dans un lieu non visibles et amenées dans le théâtre sans que personne ne les aient vues auparavant. Quant aux statues, dit Apollodore, elles étaient trop grandes par rapport aux dimensions de la cella. «Si les déesses voulaient se lever et sortir - dit-il -, elles ne le pourraient pas.» Hadrien fut courroucé par cette brusque réponse écrite et il fut terriblement angoissé à l'idée d'avoir commis une erreur irréparable. Il fut incapable de dominer son orgueil et sa douleur et il fit tuer l'homme» (Dion Cassius, LXIX, 4).

A la suite d'un incendie, Maxence fit restaurer l'édifice, altérant profondément sa planimétrie originelle. On lui doit les absides au fond des cellas et les voûtes de couverture en berceau qui remplacèrent les plafonds de bois, ainsi que toute la décoration intérieure et le précieux pavage en marbre.
Le secteur le mieux conservé est celui de la cella ouest, englobée dans l'ancien couvent de Sainte Françoise Romaine, où est désormais installé l'Antiquarium du Forum, et complètement restaurée dans les années trente: on peut encore voir la structure en abside de l'époque de Maxence avec son riche pavage en marbre, les niches ouvertes dans les murs et encadrées de colonnes de porphyre, et une partie de la voûte massive.
Il n'est resté aucune trace des colonnades du temple, mais on peut encore voir quelques colonnes des portiques qui bordaient l'esplanade, toutes relevées pendant les travaux de restauration des années trente.
Toujours dans les années trente, on a retrouvé et documenté dans l'angle nord-ouest, entre le podium du temple et la Basilique de Maxence, une maison de la fin de l'époque républicaine, caractérisée par une pièce centrale circulaire ornée d'un riche pavage avec incrustations de pâtes de verre.

mythe des origines: les vers des poètes de cour rappelaient que les murs de Romulus avaient été construits pour une *Aeterna Urbs* et ils célébraient le fondateur comme le père de la ville éternelle. En tant qu'héritier naturel d'Auguste et comme nouveau Romulus, Hadrien revitalise le culte de Vénus, divine génitrice d'Énée et des Juliens, et il inaugure le culte de *Roma Aeterna*, il lance un nouvel âge d'or et rétablit la paix dans les provinces de l'Empire. Sous son règne, l'image de la louve qui allaite les jumeaux devient un ornement récurrent de monuments publics et privés, à commencer par le fronton du Temple de Vénus et Rome, comme le montrent des monnaies de l'époque de Maxence; en association avec le *Palladium* troyen (le simulacre d'Athéna armée conservé dans le temple de Vesta au Forum et considéré comme un des talismans de la grandeur de Rome), la louve apparaît sur les statues cuirassées de l'Empereur, pour témoigner de la grandeur de Rome et de ses habitants.

Colisée
F. Colagrossi, *L'Anfiteatro Flavio nei suoi venti secoli di storia,* Florence 1913.
G. Ville, *La Gladiature en Occident des origines à la mort de Domitien,* Rome 1981.
S. Priuli, *Epigrafi dell'Anfiteatro Flavio,* in *Roma. Archeologia nel Centro,* 1. *L'area archeologica centrale,* (LSA 6, 1), Rome 1985, pp. 138 ss.
R. Rea, *L'Anfiteatro Flavio. Competizioni atletiche e spettacoli anfiteatrali: il punto di vista dell'intellettuale,* in *Lo sport nel Mondo Antico. Ludi, munera, certamina a Roma,* Rome 1987, pp. 79-85.
Spectacula. 1. Gladiateurs et amphithèatre, Actes du Colloque Toulouse-Lattes, 1987 (1990).
Anfiteatro Flavio. Immagine, testimonianze, spettacoli, Rome 1988.
R. Rea, F. Garello, L. Ottaviani, F. Severini, *Gli ipogei dell'Anfiteatro nell'analisi delle strutture murarie,* "Antiquity", 50, 1991.
R. Rea, *Anfiteatro Flavio,* Rome 1996.

Ludus Magnus
A.M. Colini, L. Cozza, *Ludus Magnus,* Rome 1962.

Meta Sudans
A.M. Colini, *Meta Sudans,* "Rendiconti della Pontificia Accademia", 13, 1937, pp.15-39
C. Panella (a cura di), *Meta Sudans, I. Un'area sacra in Palatio e la valle del Colosseo prima e dopo Nerone,* Rome 1996.

Arc de Constantin
A. Giuliano, *Arco di Costantino,* Milan 1955.
S. De Maria, *Gli archi onorari di Roma e dell'Italia romana,* Rome 1987.

Temple de Vénus et Rome
A. Barattolo, *Nuove ricerche sull'architettura del Tempio di Venere e Roma in età adrianea,* "Mitteilungen des Deutsches Archäologisches Institut (Römische Abteilung)", 80, 1973, pp. 243-269.

SOURCES GRAPHIQUES ET PHOTOGRAPHIQUES

La fig. 2 et la reconstitution graphique de l'Arc de Constantin ont été realisées par Ludovico Bisi.

11, 15, 40: Archivio Grafico SAR.

28: tiré de F. Coarelli, *Guida Archeologica di Roma*, Milan 1994[4], pp. 196-197.

30: tiré de A.M. Colini, *Meta Sudans*, "Rendiconti della Pontificia Accademia", 13, 1937, p. 35, fig. 17.

1: Marco Ravenna

4: Giovanni Rinaldi, Il Dagherrotipo.

5, 7, 8, 12, 18, 19, 20, 21, 34, 41: Archivio Scala.

3, 26, 39: Archivio Mozzati.

6: tiré de *Roma Antiqua. "Envois" degli architetti francesi (1788-1924)*, Rome 1985, p. 255.

9, 13, 16, 17, 23, 25, 31: R. Rea.

10, 32, 33, 36, 37: Archivio Vasari.

14: tiré de S. Settis (sous la direction de), *Memoria dell'antico nell'arte italiana*, III, *Dalla tradizione all'archeologia*, Turin 1986, fig. 86.

22: Archivio De Agostini.

24, 27, 35: Artephot.

29: Archivio Fotografico SAR.

Textes de Letizia Abbondanza
Traduction de Jérôme Nicolas
Secrétaire de rédaction: Gian Paolo Castelli,
Comunicare s.r.l.
Mise en page: Pavese Toscano,
Studio Associato

Réimpression 2005
Première édition 1997

Une réalisation éditoriale de Mondadori Electa S.p.A., Milan

www.electaweb.it

Cet ouvrage a été achevé d'imprimer par Mondadori Electa S.p.A.
sur les presses de Mondadori Printing S.p.A.,
via Castellana 98, Martellago (Venice) en l'an 2005